world of ERIC CARLE™

DK

好餓的毛毛蟲
給孩子的
第一本全百科

新雅文化事業有限公司
www.sunya.com.hk

好餓的毛毛蟲
給孩子的
第一本全百科

目錄

我們的世界

身體與健康

地球

動物與大自然

DK | Penguin Random House

新雅・知識館

**好餓的毛毛蟲
給孩子的第一本全百科**

繪　　圖：艾瑞・卡爾（Eric Carle）
翻　　譯：張碧嘉
責任編輯：張雲瑩
美術設計：黃觀山

出版：新雅文化事業有限公司
香港英皇道499號北角工業大廈18樓
電話：(852) 2138 7998
傳真：(852) 2597 4003
網址：http://www.sunya.com.hk
電郵：marketing@sunya.com.hk

歷史

科學、數學和科技

太空

發行：香港聯合書刊物流有限公司
　　　香港荃灣德士古道220-248號荃灣工業中心16樓
電話：(852) 2150 2100
傳真：(852) 2407 3062
電郵：info@suplogistics.com.hk
版次：二〇二二年三月初版

ISBN: 978-962-08-7892-3
Original Title: *The Very Hungry Caterpillar's Very First Encyclopedia*
ERIC CARLE, THE WORLD OF ERIC CARLE, THE VERY HUNGRY
CATERPILLAR and certain related names and logos are registered and/or unregistered
trademarks of PENGUIN RANDOM HOUSE LLC.
Copyright © 2022 PENGUIN RANDOM HOUSE LLC. All rights reserved.
Traditional Chinese Translation © 2022 Sun Ya Publications (HK) Ltd.
18/F, North Point Industrial Building, 499 King's Road, Hong Kong
Published in Hong Kong, China
Printed in China

For the curious
www.dk.com

我們的世界

你住哪裏？

世界各地的人都住在不同的地方，有些人住在**安靜的鄉郊**，有些人住在**繁忙的城市**。你喜歡哪種生活？

鄉郊生活

住在鄉郊的人不多，所以環境相對寧靜，這裏有農田和村落，地方一望無際。人們要花較長的交通時間，才可以到達商店或醫院。

鄉郊的家

鄉郊的房子比城市的房子分散，空間較多。

出外玩樂

鄉郊有許多空曠地方和樹林，可以在其中玩耍。

來回交通

來回鄉郊和城市的道路迂迴崎嶇，交通比較不方便。

城市生活

城市人口密集,大家都住得很近。市內有許多建築物,包括商店、博物館、學校和醫院。

城市的家

很多人都住在大廈的小單位裏。

出外玩樂

城市裏設有各種休憩設施,例如:公園。

城市交通

城市裏穿梭着各種交通工具,有火車、電車、巴士等。

學校裏

學校是**學習**新事物的地方，**老師**在**課室**裏教導學生。學校是個有趣的地方，你也會在學校裏交朋友，你最喜歡在學校裏做什麼？

數字

跟數字有關的學習，都是數學。老師會在數學課教你量尺、數數目和看時鐘。

學習寫字

你會先學寫英文字母，然後學習串字。你會寫自己的名字嗎？

藝術

你可以嘗試創作不同的藝術作品，你能繪畫和畫水彩畫，你也可以印刷版畫、造珠寶，以及用紙張、黏土或回收材料來創作。

結交好友

你會在學校裏認識很多朋友。好朋友會一起玩耍，相處融洽，也會彼此幫助。誰是你的好朋友呢？

共同閱讀

閱讀能帶給我們無限樂趣。非小說類書籍帶給你精彩的事物，而小說則會讓你進入奇妙的幻想世界，與朋友一起共度非凡有趣的閱讀時光吧！

操場

除課室外，你每天都會在操場上玩耍。你可以玩捉人遊戲，也可以玩各樣的運動，例如踢足球或跳繩。

職業

你**長大後**想當什麼？世界上有各式各樣的工作，工作讓人**樂在其中**，也能賺取**金錢**。你可以在商店、醫院、天上的飛機，甚至在動物園裏上班！

老師

老師會在學校幫助學生學習不同的科目，例如數學、藝術、科學和體育。

醫生

當我們感到身體不適，醫生就會來幫助我們，他們會給我們做各種檢查，找出所患的疾病，對症下藥。

獸醫

獸醫負責照顧和診治患病的動物，這包括野生動物、農場裏的動物，或家裏的寵物。

動物園管理員

管理員忙於照顧動物園裏的動物，負責餵飼和梳洗，管理員更會確保園中動物居住在乾淨整潔的環境中。

店員

商店裏的店員會為你找到合適的衣服、食物和其他物品，並協助你付賬購物。

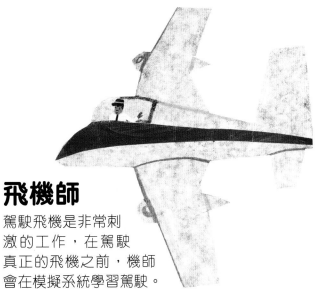

飛機師

駕駛飛機是非常刺激的工作，在駕駛真正的飛機之前，機師會在模擬系統學習駕駛。

廚師

廚師在餐廳、食堂和商店裏負責準備食物。你最喜歡吃什麼？

警察

警察的工作是維持治安，徹查罪案。

消防員

消防員的工作帶點危險性，他們負責撲滅火災，也會幫忙處理一些棘手的情況，例如處理車禍現場或拯救困在樹上的貓！

農夫

農夫負責確保農場運作暢順，他們會賣蔬果和動物製品，例如粟米和牛奶。

13

繁忙的建築地盤

隆隆、唰唰、嘟嘟！建築地盤傳來**嘈雜的聲音**，建築工人使用**大型機械**來搬運重物、興建新的大樓。

起重機

起重機吊臂尾部的繩子，可以將物件提到半空，例如把建屋頂的材料運上去。

泥頭車

泥頭車載着大量的建材來往地盤，例如沙石和磚頭。

推土機

推土機可以清理地上的碎石。推土機有橡膠履帶，可以在凹凸不平的路上行駛。

建築工人戴上堅硬的安全帽保護頭部，以免高空有任何東西掉下來。

14

裝載機

這些大型車輛有一個巨大的鏟，可以鏟起石頭。

挖掘機

挖掘機能挖掘地面，挖出一個空間來建地基，地基在建築物的底部，確保建築物的根基穩固。

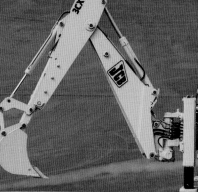

反鏟挖土機

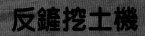

反鏟挖土機的前後都有一個挖土的大鏟。

混凝土車

混凝土可以將建築材料牢固地結合在一起。混凝土的原材料是岩石和水，會在混凝土車裏攪拌而成。

15

交通工具

颼颼！交通工具百花齊放，你最喜愛哪一樣？

計程車

貨車

電動車
許多新型的車輛都由電力、而非燃油驅動。電動車不會釋放有害氣體，也可以在叉電站叉電。

火車

火車在郊區快速行駛，穿梭各區。最快的火車可以達至時速300公里。

火星探測車

你知道火星上也有車嗎？「毅力號」是火星探測車，在火星的地上行走，負責拍照和尋找生命跡象。

巴士

腳踏車

踏着腳踏車上的腳踏，輪子就會轉動，踏腳踏車時別忘了要戴安全帽啊！

航海之旅

我們有各種的**小船**和**大船**，載着我們在**海上航行**。你或許在海上見過以下的船。

貨櫃船

這些巨大的貨船雖然航行很慢，但非常牢固，可以裝載許多重型貨物。

潛艇

潛艇可以藏在水面下，也能潛到海底。

帆船

帆借着風力，推動帆船航行，風力越大，帆船也航行得越快。

快艇

快艇的前端又窄又尖，也有強大的引擎驅動快速航行。呼嗖！

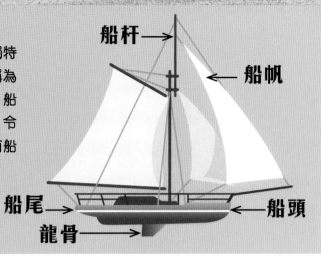

船的各個部分

船的各個部分都有其獨特的名稱。前端的位置稱為船頭，後面稱為船尾。船底的龍骨是承重結構，令船身保持直立。帆船有船杆，以揚起船帆。

船杆

船帆

船尾

船頭

龍骨

渡輪

渡輪載着乘客渡海，有些大型的渡輪也能載車。

獨木舟

獨木舟是細小的船，船身中空。划獨木舟的人會用槳，在水裏推進。

在天空飛翔

不同的**飛行器**能帶我們**飛到天上**！你在天空裏見過這些飛行器嗎？

熱氣球

坐熱氣球飛行，雖然很慢，但能欣賞沿途優美的景色！熱氣球裏面有熱空氣，熱空氣令氣球漲大，升起到天上。

戰鬥機

軍隊裏有些特別設計的飛機，這些戰鬥機飛行速度很快，能夠與其他軍用飛機在空中戰鬥。

直升機

透過轉動旋翼，直升機飛行時能直上直落。

飛機怎樣飛行？

飛機移動或向前快速推進的時候，空氣會急促流過機翼下，形成一股升力。當升力大於將飛機向下拉的地心吸力時，飛機便能飛起來了。

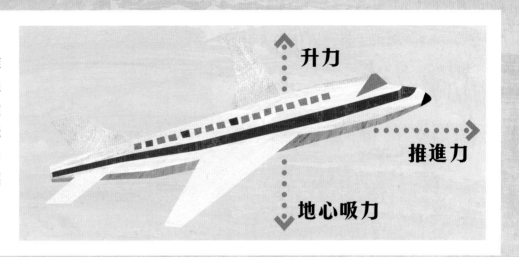

升力

推進力

地心吸力

降落傘

當你從高空中的飛機一躍而下，降落傘就能讓你慢慢地安全降落在地上。

飛機

所有飛機都有機頭、機尾、以及兩隻機翼，而飛機師則坐在駕駛艙裏。

無人駕駛飛機

無人駕駛飛機是一種遙距控制的飛行器，無須機師駕駛。這種飛機可用於航拍、送遞包裹、或其他的用途上！

我們的衣服

我們每天穿什麼，視乎我們居住地方的氣候，以及我們當天**要做些什麼**。有些衣服能保暖，有些則適合做**運動**。你今天穿了什麼？

帽子

褲子

襪子

花俏的衣飾

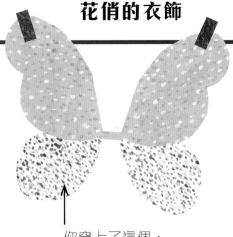

衣服是怎樣來的？

將布料縫紉起來，就能製成衣服。如今很多衣服都由機器或工廠裏的工人製造。

你穿上了這個，可以扮成什麼？

圍巾

毛衣

傳統服飾

每個國家都有自己的傳統服飾，稱為「國服」，通常在特別的日子，就會穿上國服。

日本和服

秘魯民族服裝

印度紗麗

雨衣

運動衣

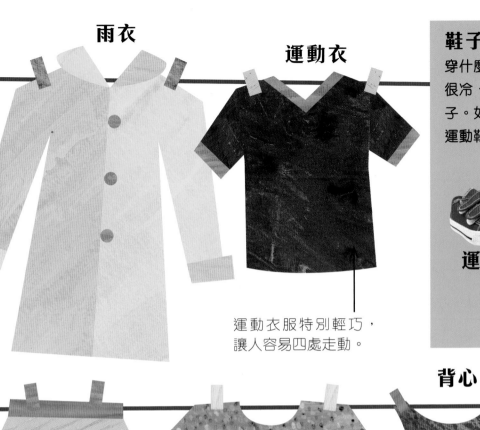

運動衣服特別輕巧，
讓人容易四處走動。

鞋子

穿什麼鞋子，取決於天氣。如果天氣很冷、下雨、或是下雪，你會穿上靴子。如果天氣溫暖或乾燥，穿涼鞋或運動鞋便最適合。

運動鞋

靴子

人字拖鞋

短褲

裙子

背心

短裙

如果天氣寒冷，
可以在上衣裏面
多穿一件背心。

**桑布魯
民族服飾**

中國漢服

**薩米
傳統服飾**

宗教

宗教就是一羣人所相信的**一套信念**，有宗教信仰的人會在**特別的建築物**裏聚會，例如教堂、廟宇或清真寺。世界上有很多不同的宗教，我們來認識其中的一些吧！

瑞典馬爾摩的聖彼得教會

十字架

基督教

基督徒跟從耶穌的教導，他們相信耶穌是由神差派來到世間的，許多基督徒都會恆常地上教會。

加拿大多倫多的斯瓦米納拉揚印度廟

印度教

信奉印度教的人稱為印度教徒，南亞有很多人信奉印度教，尤其以印度為甚。

印度教神明：象神

猶太教

猶太人信奉猶太教，他們相信世界由神創造，猶太教的標誌是大衞之星。

大衞之星

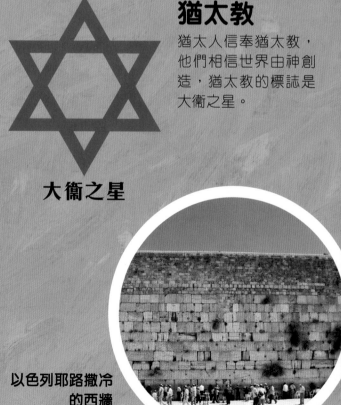

以色列耶路撒冷的西牆

泰國曼谷的
黎明寺

佛祖

佛教

佛教徒信奉他們的靈
性領袖佛祖的教誨，
佛祖的教導主要圍繞
怎樣能夠保持快樂和
友善。

道教

道教起源於中國，是一種關於生命的思想。道
教認為生命需要保持平衡，像陰陽圖所展示的
那樣。

太極
陰陽圖

中國武當山的
道教寺

伊斯蘭教

信奉伊斯蘭教的教徒
稱為穆斯林，他們只
相信一位真主——阿
拉。每年都會有數以
百萬計的穆斯林，到
沙地阿拉伯的麥加朝
聖。

在麥加的朝聖者

土耳其
伊斯坦堡的
藍色清眞寺

印度新德里的
班戈拉·撒西
比謁師所

錫克教

大部分錫克教教徒都是
亞洲人，錫克教教徒相信
一神，錫克教的標誌是
「堪達」，看起來像一
把雙刃劍。

堪達，錫克
教標誌

25

農曆新年

在不同的東亞國家,都會慶祝為期15天的春節慶典,舞者會穿起特別的衣服,在街頭巡迴表演。

節日慶典

歡慶有很多原因,可以是**宗教節日**、轉換**季節**的**喜悅**、甚或是迎接**新的一年**,這些都是歡慶的時候!

復活節

基督徒在復活節會有一個特別的筵席,也會上教會,大家交換復活蛋。

一月　　二月　　三月　　四月　　五月　　六月

新年

在世界各地,人們都會在12月31日跟家人朋友一起迎接新一年,人們在新年時都放煙花慶祝!

櫻花節

這個日本節日慶祝春天的來臨,也歡慶櫻花盛放。

佛誕

佛誕也稱為衛塞節,這天紀念佛祖的誕生。

排燈節

排燈節是印度教的節日，慶祝善良戰勝邪惡。教徒會燃點特別的燈，稱為煤油燈，並用色彩豐富的藍果麗圖案來裝飾家居。

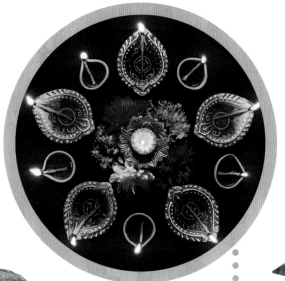

聖誕樹

中秋節

有些亞洲國家會在秋天月圓的時候慶祝這個節日，人們在中秋節會吃月餅。

| 七月 | 八月 | 九月 | 十月 | 十一月 | 十二月 |

開齋節

這是個穆斯林的節日，慶祝神聖齋戒月的結束，信徒會穿上新的衣服、祈禱和交換禮物。

山藥節

這是個西非的節日，人們會吃山藥和跳舞，慶祝豐收。

萬聖節

慶祝萬聖節時，大家會穿上特別的服裝，雕刻南瓜，點起篝火。

聖誕節

基督徒會在聖誕節慶祝耶穌基督的降生，他們會互送禮物，也會在聖誕樹上放置小佈置和燈飾。

光明節

猶太人會慶祝為期8天的光明節，他們每天晚上都會燃點蠟燭，放在特製的燭台上，以紀念過往的神蹟。

27

非凡的藝術

當你畫畫，或是造出模型，你就是在從事**藝術創作**，藝術家會用**不同的材料**來表達他們內心的感受，以下是其中一些主要的藝術類型。

彩繪

在古老的洞穴裏，就已經找到人類畫畫的痕跡。你可以在白紙、油畫布，甚至在牆上彩繪，當然在牆上畫畫，一定要取得批准才可。

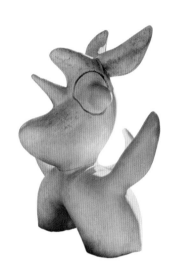

畫畫

畫畫真有趣！你可以用任何能着色的工具畫畫，你最喜歡畫什麼？

雕塑

雕匠可以用陶土、木頭、岩石、金屬或其他材料來製作雕像。有些雕像會是我們常見的東西，有些雕像則比較抽象和不尋常。

拼貼畫

將一些不同的材料拼貼起來，就能製作拼貼畫。艾瑞・卡爾（Eric Carle）也用拼貼的技術來作畫呢！

世界各地的食物

世界各地的人**吃**各樣不同的食物。無論你走到哪個國家,都可以嘗到**美味的**特色食物。

薄餅

薄餅來自意大利。在麵包上塗上新鮮的番茄醬和香軟的芝士,焗好就成了薄餅。

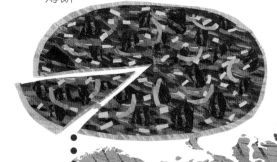

西班牙海鮮飯

西班牙海鮮飯源自西班牙,裏面有許多美味的蔬菜、肉類和海鮮。

這個馬利小孩正在吃米飯。

塔吉鍋

塔吉鍋來自北非,通常會是羊肉鍋。這道菜名是源自於塔吉鍋這個煮食鍋子的名稱!

烤肉串

烤肉串來自中東,是一串夾雜烤肉和蔬菜的美食。

美食

每個國家或地區,都有自己的特色菜餚、傳統煮食方法和美食。你最喜歡吃哪些食物?

中國人喜歡吃餃子，農曆新年的時候，差不多所有家庭都會吃餃子。

壽司
壽司結合了生魚片、飯和蔬菜，來自日本。

熱狗
熱狗是在包裏放入香腸，再加上醬汁而成，是一種美國食物。

墨西哥夾餅
墨西哥夾餅源自墨西哥，由玉米薄餅包着美味的肉和蔬菜而成。

拉麵
這種日本湯麵可以配上很多不同的配料。

泡菜
泡菜是香辣的大白菜，是韓國料理中重要的一環。

這個巴西男孩正在吃魚和米飯。

林明頓
這蛋糕的外層是巧克力糖霜和椰絲，這甜點在澳洲很受歡迎。

美妙的音樂

音樂可以很**簡單**，例如用手指打着節拍；也可以很**複雜**，例如由多種**樂器**合奏歌曲。你會彈奏樂器嗎？

銅管樂

樂手會用嘴來吹奏銅管樂，例如小號。當你含住樂器的吹口吹氣時，樂器內部會產生震動，因而發聲。

小號

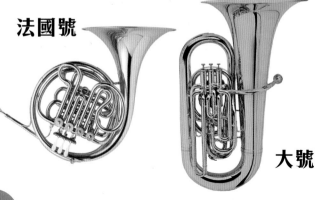

法國號

大號

木管樂

木管樂器有很多種，包括牧童笛和薩克斯管。樂手含着吹口吹氣，樂器就能發聲。

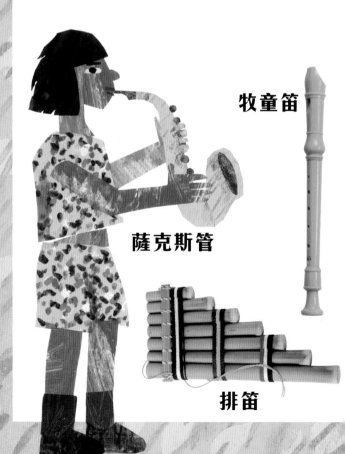

牧童笛

薩克斯管

排笛

音符

音樂由音符組成，每個音都有一個名稱，以致我們可以將歌曲寫下來與別人分享。

C D E F G A B

這是鋼琴琴鍵上的音。

弦樂

弦樂的發聲原理，是透過用手指彈撥弦線，或用弓在弦線上拉動，弦線震動便會發出聲響。

小提琴

結他

琵琶

敲擊樂

彈奏敲擊樂器的方法，通常是搖動敲擊樂器，以及用手或棍棒敲打樂器，敲擊樂器包括鼓和鈸。有些敲擊樂器還可以彈奏曲調，例如木片琴。

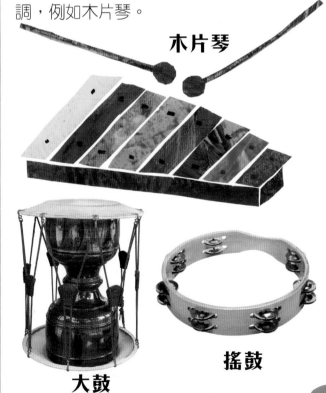

木片琴

大鼓

搖鼓

運動

運動在世界各地都很受歡迎,有些運動是**隊制比賽**,例如足球;有些則是**速度競賽**,例如跑步和踏單車。以運動為專業的人,稱為**運動員**。

單板滑雪

單板滑雪運動員乘着一塊扁平的滑雪板滑行,他的靴子跟滑雪板是連接着的。

游泳

泳手會用手腳的肢體動作,在水裏向前推進。

花式溜冰

花式溜冰運動員會在冰上跳舞,他們平衡在鋒利的溜冰鞋上,做出各樣跳起和旋轉的難度動作。

運動裝備

運動裝備包括特別的運動服裝、保護衣物(如頭盔),以及物件(如球和球拍)。

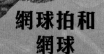
網球拍和網球

板球

拳套

跆拳道

跆拳道是一種武術，運動員會運用到各種踢腿、出拳和摔倒動作。

奧林匹克運動會

奧運會是世界上最大型的運動比賽。精英運動員參加每四年一度的奧運會，競逐每項比賽中的金牌、銀牌和銅牌。

足球

足球員會在草地球場上踢球。當把足球踢進對方龍門時，便可以得分。

跑步

你可以自己跑步作運動，也可以在跑步比賽中跟別人爭競。

籃球

籃球比賽中，球員會盡力將籃球拋進對方的球籃。

棒球手套和棒球

裁判口哨

乒乓球拍和乒乓球

欖球

不同的語言

我們用語言跟別人**溝通**。如果沒有語言，我們便不能跟朋友**聊天**，不能**閱讀**故事，也不能**聆聽**歌曲。語言真是非常重要啊！

法文
Bonjour
"bon-jor"

阿拉伯文

مرحبا
"mar-ha-ban"

希伯來文
שָׁלוֹם
"sha-lom"

西班牙文
Hola
"oh-lah"

語言

世界上有超過7,000種語言！最多人說的語言是中文，有超過十億人。你也試試用以上世界各地不同的語言來打個招呼吧！

手語

聾人沒法聽見聲音，所以他們用手語來溝通。手語可以表達各樣的字母、字詞和數字。

日文
こんにちは
"kon-nee-chee-wah"

瑞典文
Hej
"hey"

韓文
안녕하세요
"ann-yeong-ha-se-yo"

梵文
नमस्ते
"nah-muh-stay"

英文
Hello
"hel-oh"

中文
你好
"nee-haow"

點字

點字是一種用手指頭感受點字凹凸的閱讀方法，這種方法為世界各地的盲人普遍使用。

表情符號

表情符號（emoji）是一些小圖案，人們會在發送信息時加入表情符號來快速表達他們的感受。

這條魚很……

小
細
你
小

細
幼
迷
微

這條鯨魚很……

大
型
大
麗

強
巨
龐
壯

描述的詞語

描述物件的詞語，稱為**形容詞**。形容詞很有用，我們可以藉此表達事物的外貌、味道、觸覺等。

相反詞

相反詞就是互相對立的詞語。
你還能想到比以下更多的相反
詞嗎？

光明

黑暗

嘈吵

安靜

甜

酸

美妙的字詞

學習新的字詞實在太有趣了，你知
道以下這些字詞是什麼意思嗎？你
能用這些字詞來造句嗎？

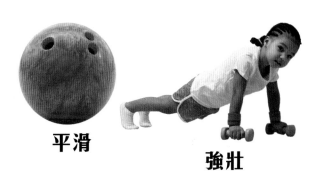

平滑

強壯

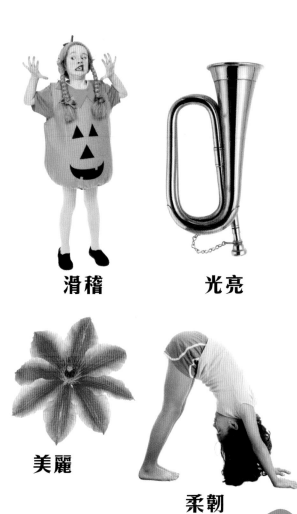

滑稽

光亮

美麗

柔韌

39

身體與健康

我們的身體

身體很奇妙，它由許多不同的器官組成，讓你可以思想、呼吸、行動和生活。

頭部是身體很多重要器官的家，頭部包括大腦、眼睛、鼻子、還有……

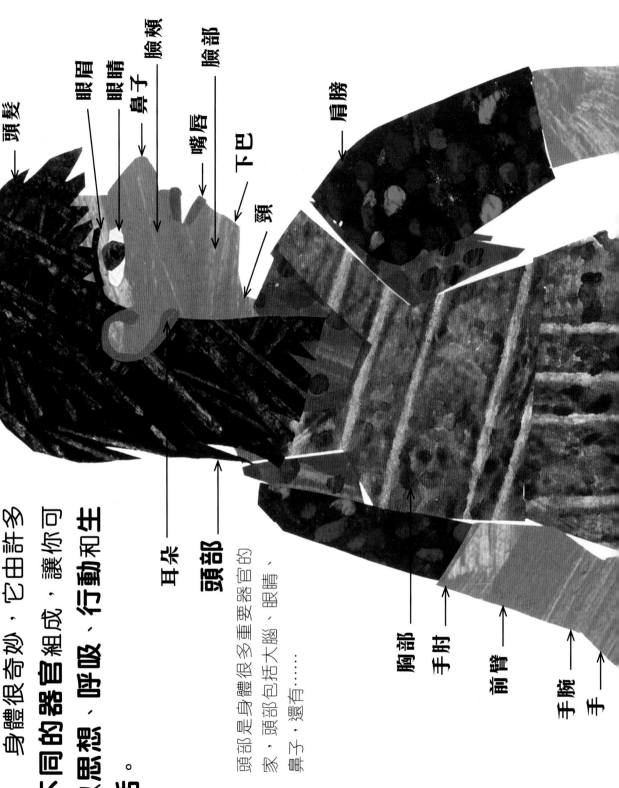

頭髮

眼眉

眼睛

鼻子

臉頰

臉部

嘴唇

下巴

肩膀

頸

耳朵

頭部

胸部

手肘

前臂

手腕

手

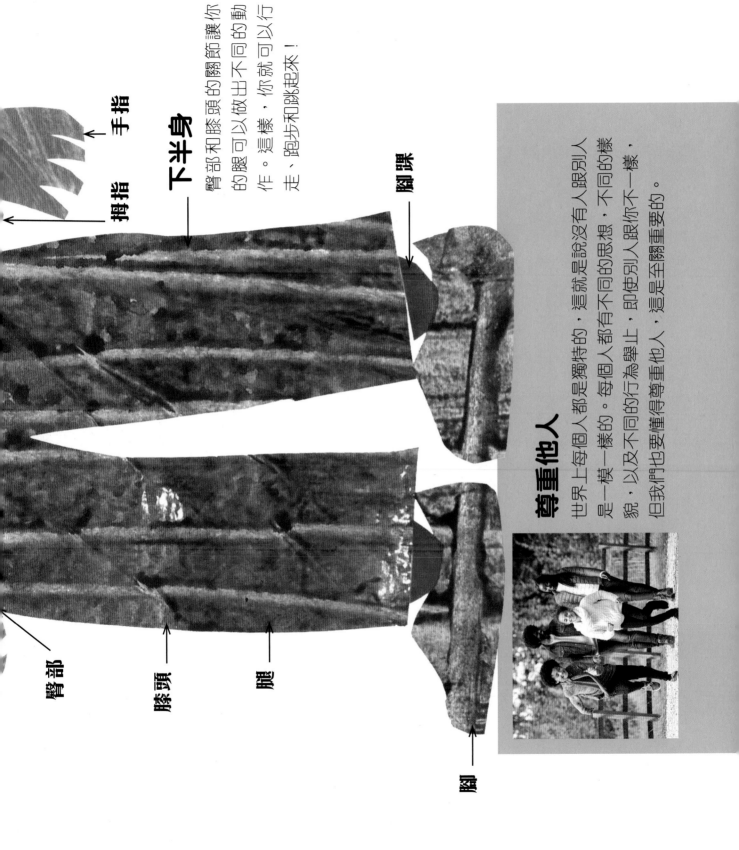

手指

拇指

下半身

臀部和膝頭的關節讓你的腿可以做出不同的動作。這樣，你就可以行走、跑步和跳起來！

臀部

膝頭

腿

腳踝

腳

尊重他人

世界上每個人都是獨特的，這就是說沒有人跟別人是一模一樣的。每個人都有不同的思想，不同的樣貌，以及不同的行為舉止。即使別人跟你不一樣，但我們也要懂得尊重他人，這是至關重要的。

皮膚之下

當你看着自己的**身體**，你會看見身體的**外面**，但原來身體的**裏面**也有很多不同的構造啊！

你知道嗎？原來皮膚是身體最重的器官！

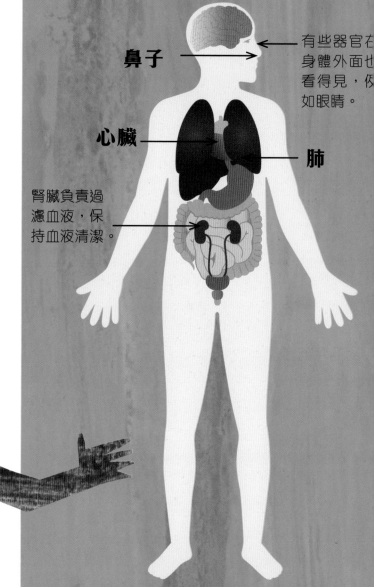

器官

鼻子

心臟

肺

有些器官在身體外面也看得見，例如眼睛。

腎臟負責過濾血液，保持血液清潔。

身體裏的器官負責着不同的工作，肺部負責呼吸，心臟負責將血液泵至全身，鼻子則負責嗅氣味。

大腦

大腦是一個非常重要的器官，它負責指揮其他器官工作。

肌肉

臉部的肌肉讓你能造出不同的表情。

腿部的肌肉讓你能跑步、跳躍和攀爬。

肌肉讓你的身體能活動，身體最大的肌肉是臀大肌，位於臀部！

骨架

顎骨負責口部的開合動作，這讓我們能吃東西。

胸膛由12對胸骨組成。

我們的骨架由很多骨頭連接而成，骨頭既強壯又輕，你可以在X光片上看見骨頭。

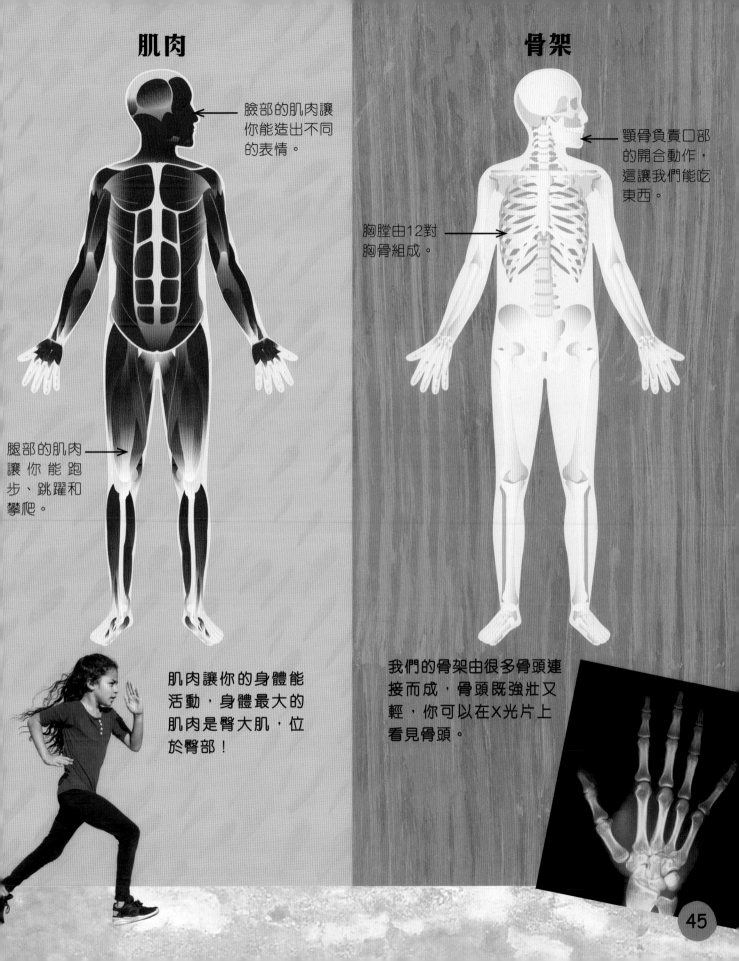

45

感官

感官幫助我們**探索**和**認知**周圍的世界。透過感官，我們可以品嘗、看見、聆聽、觸摸和嗅氣味。

視覺

我們透過眼睛看見事物。光線進入瞳孔，然後大腦就會讓你看見東西；瞳孔是指眼睛中間的黑色圓洞。

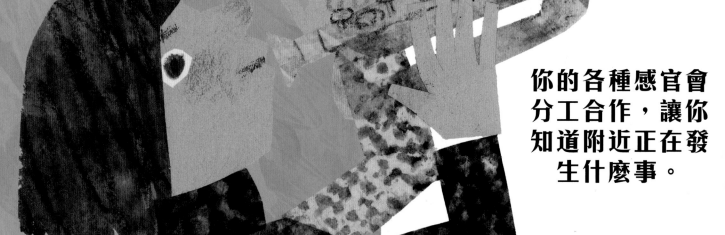

你的各種感官會分工合作，讓你知道附近正在發生什麼事。

味覺

你的舌頭上遍布許多細小的味蕾，它們會讓你知道你吃的東西是甜的、酸的、苦的、還是鹹的。

嗅覺

你知道嗎？原來鼻子可以嗅到大約一萬億種不同的氣味；鼻子也有助你品嘗食物的味道。

聽覺

我們透過耳朵來聆聽聲音，聲音是一些微小的震動，耳朵會將之轉為神經信號，當大腦接收了這些信號，你便能聽到聲音了。

觸覺

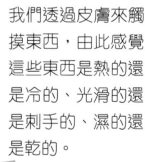

我們透過皮膚來觸摸東西，由此感覺這些東西是熱的還是冷的、光滑的還是刺手的、濕的還是乾的。

47

出生之前

嬰孩出生之前，會在媽媽的肚內成長，長達九個月。這期間，重要的器官會首先形成，例如心臟和大腦；接着會長出眼睛和耳朵；再之後，手指和腳趾上會長出指甲。而整個過程中，嬰孩的體型會越長越大。

2個月
像紅莓般大小

3個月
像李子般大小

成長的過程

人類出生的時候，體型都是細小的，在成長階段，體型會一直增長和**改變**。有些成年人會**生兒育女**，再老一點便會死亡，這就是人類的**生命周期**。

年歲加增

每個人的樣貌都不一樣，但每個人隨着年歲增加，都會經歷相同的人生階段。

兒童時期

兒童時期的孩子能走路和說話。他們在學校學習新的技能，例如閱讀、寫作和運動。

嬰孩時期

嬰孩需要父母照顧，才能進食和確保安全。他們長大得很快，會懂得爬行和說些單字。

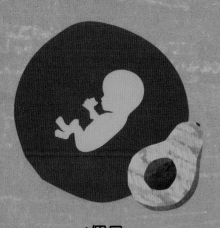

4個月
像牛油果般大小

6個月
像一條粟米般大小

9個月
像西瓜般大小

年老時期

較年長的人的頭髮會變成灰色，皮膚上也會有更多皺紋，大部分的人類都可以活到70歲以上。

成年時期

大約到了20歲，人類就發育完全。成年人會上班，也可能會生兒育女。

青少年期

兒童到了13歲，就進入青少年期。青少年逐漸不需要父母的幫助，也能自己做很多事情，他們的樣子也越來越像成年人了。

均衡飲食

　　要保持健康，就需要均衡飲食，從**不同的食物**中取得不同的養分，有些食物能為你提供**能量**，有些能讓你的骨骼**強健**。你今天會吃哪些健康食物？

橙

青檸

奇異果

西瓜

胡蘿蔔

櫻桃

蛋

豆類

堅果

肉類

魚

你最喜歡吃什麼？

意粉

湯麵

蛋白質
肉類、魚類和堅果含有豐富蛋白質，有助修復身體和成長。

碳水化合物
意粉、麵包、米飯和薯仔都是碳水化合物，這些食物為你提供玩樂時所需的能量。

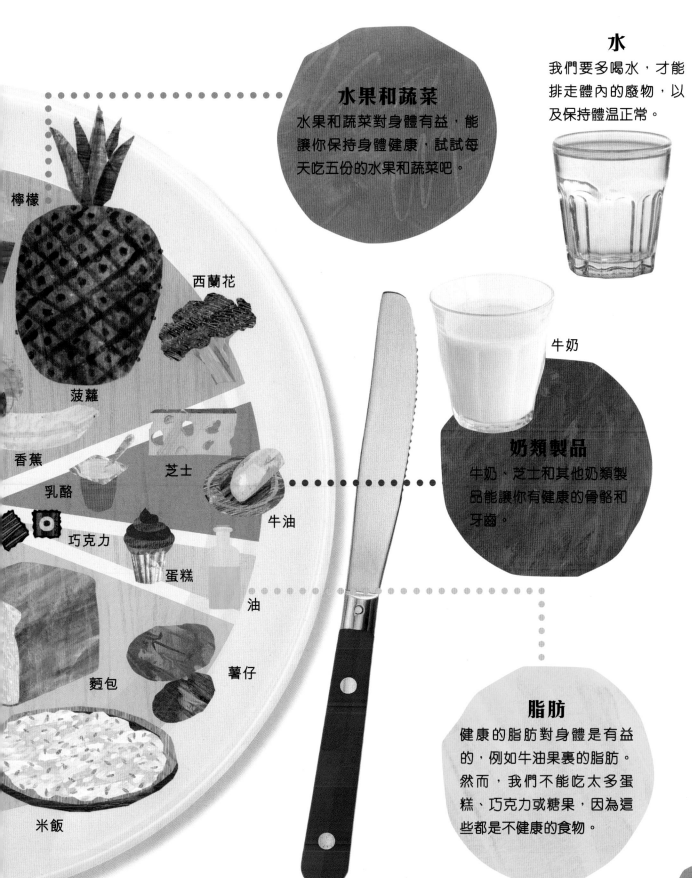

水果和蔬菜

水果和蔬菜對身體有益，能讓你保持身體健康，試試每天吃五份的水果和蔬菜吧。

水

我們要多喝水，才能排走體內的廢物，以及保持體溫正常。

檸檬

西蘭花

菠蘿

牛奶

香蕉

芝士

乳酪

牛油

巧克力

蛋糕

油

奶類製品

牛奶、芝士和其他奶類製品能讓你有健康的骨骼和牙齒。

麵包

薯仔

米飯

脂肪

健康的脂肪對身體是有益的，例如牛油果裏的脂肪。然而，我們不能吃太多蛋糕、巧克力或糖果，因為這些都是不健康的食物。

照顧身體

從頭頂到腳趾，我們的**身體都很棒**。要好好照顧自己的身體，才能保持**健康**、強壯和快樂。

刷牙

每天要早晚刷牙，牙齒的前面和後面都要刷整整兩分鐘，這樣你就能有閃亮的笑容和清新的口氣。

洗手

吃飯前和如廁後，都要用梘液搓手，用水清洗至少20秒。

動起來！

你喜歡跳舞、跑步、
踏腳踏車、還是
爬山？運動能
令你身心健康。

洗澡

每天洗澡，保持
身體清潔。

睡覺

你的身心每天都
需要休息，以迎
接新的一天。試
試每天睡10個小
時吧，這對身心
有益。晚安！

注意安全

注意安全很重要，因為**生命很寶貴**，現在讓我們來學習怎樣在**外出時**和**在家裏**注意安全吧。

在街上

外出時，要留意的地方也不少。要常常跟緊照顧你的大人，不要跟陌生人說話，在馬路旁邊也要特別小心。

踏腳踏車的時候，戴上安全帽保護頭部。

家居安全

你的家是個安全的地方，然而，也要注意一些隱藏的危險。

電力

家裏有很多電器都需要用電力驅動。遠離電插座，以免因碰到插座而觸電。

熱燙的東西

小心一些熱燙的東西，例如熱水煲或熱水喉。要開水喉或拿鍋具的話，只可碰開關或手柄的部分，否則會容易燙傷啊！

拖緊大人的手，過馬路前要檢查左右兩邊有沒有車輛駛近。

要待安全的時候，才可橫過馬路。如果有紅綠燈，綠燈亮着的時候就可以橫過馬路。

急救箱

如果你受傷了，務必要告訴大人，他們會使用急救箱裏的物品，給你舒緩痛楚。

煮食

煮食是一件很好玩的事，但如果要使用焗爐、煮食爐、電器，或鋒利的刀時，務必請大人協助。

清潔用品

千萬不要觸碰清潔用的噴霧和液體，因為其中的化學物質會令你感到不適。

網絡安全

上網玩遊戲和學習都很有趣，但緊記要依從大人的指引下上網，也不要跟在現實生活中不認識的人在網上聊天。

情緒

面部表情反映我們的情緒，別人從而得知我們的感受。你有過以下的感受嗎？

傷心

開心

憤怒　　　　**害怕**

驚訝

擔心

情緒感受

我們的所有感受都是重要的，這些感受源自腦海深處，會影響我們**身體的各個部分**，所以，要時刻留意自己的情緒感受。

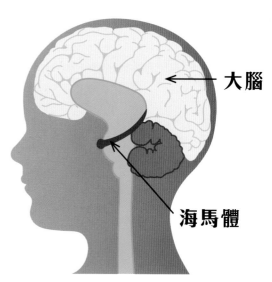

大腦

海馬體

感到害怕

當身邊發生了可怕的事情，你的感官會將接收到的信息傳到大腦中的海馬體，然後海馬體會將信息傳到身體其他部分，指揮身體作出適當的反應。

朋友

寵物

運動

閱讀

繪畫

**做哪些事會令你
感到快樂？**

音樂

遊戲

57

身體好多了

醫生和護士幫助人保持身體健康，也會醫治生病的人。做**身體檢查**的時候，**醫生**會確保你的身體健康，成長進度良好，作檢查時，會用到以下的工具。

量尺

量尺用於量度高度。

醫生

醫生在診所或醫院裏工作，他們治療受傷或生病的人。

X光

X光機拍下特別的照片，讓醫生能了解你身體內部的情況。

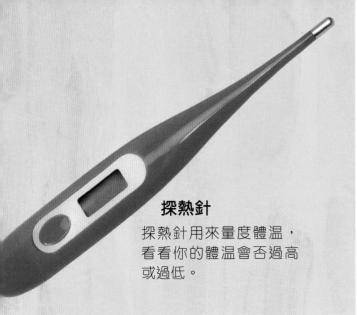

探熱針

探熱針用來量度體溫，看看你的體溫會否過高或過低。

聽筒

醫生運用聽筒來聆聽你的呼吸或心跳。

耳鏡

醫生用耳鏡來檢查你的耳朵、鼻子和喉嚨。

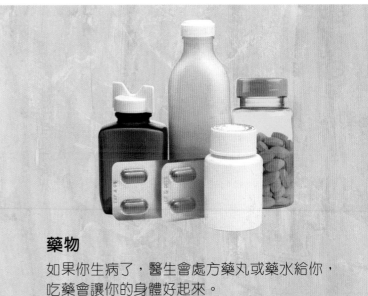

藥物

如果你生病了，醫生會處方藥丸或藥水給你，吃藥會讓你的身體好起來。

繃帶

如果你受了傷，可用繃帶包裹傷口，讓傷口在康復的期間，一直保持清潔。

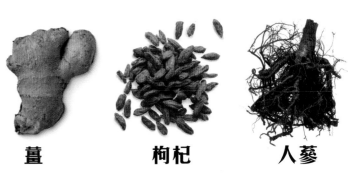

薑　　　枸杞　　　人蔘

自然療法

有些人相信某些植物有治療功效，傳統中醫會用草本植物作中藥治療。

地球

地球上的陸洲

地球上的陸地，分為**七大洲**。
每個大洲都有不同的地標、植物、動物和人種。

北美洲

南美洲

金門大橋是世界上最著名的大橋之一，位於美國三藩市。

> 每個大洲都有很多不同的國家，除了冰天雪地的南極洲。

亞馬遜熱帶雨林裏有過百萬種的植物和動物，這個熱帶雨林大部分位於巴西之上。

北極光是夜空中美麗的綠光，在歐洲許多北部的國家都能看見這奇觀。

喜馬拉雅山脈位於亞洲，山脈上有超過50個山峯。

歐洲

亞洲

非洲

最先的澳洲土著，在數千年前已居住在澳洲，當地仍保留着上圖般的許多傳統藝術。

大洋洲

肯雅居住着許多不同民族，馬賽族是其中之一。每個民族都有自己獨特的傳統音樂和服飾。

企鵝

南極洲

63

亞洲

亞洲是**最大的陸洲**，這裏有很多不同的**國家**、**文化**和**地形景觀**。亞洲也是**人口最多**的陸洲，全球有超過一半的人口都居住在這裏。

地圖上以星星標示的，是一些重要的城市。你能找到它們嗎？

熊貓

佩特拉是一座建在石頭內的**古城**。

佩特拉

犛牛

烏茲別克塔什干

珠穆朗瑪峰是世界最高的山峰

伊朗德黑蘭

野山羊

黎巴嫩的香柏樹

喜馬拉雅山脈

印度新德里

阿拉伯馬

亞洲

香料

印度料理色彩繽紛，也很辣！

泰姬陵
這座壯麗的圓頂建築位於印度，以白色大理石興建。泰姬陵建於17世紀，是當時的帝皇沙賈漢（Shah Jahan）為妻子所建造的。

萬里長城

這巨大的城牆位於中國，建於2,000年前，由木材、石頭和泥土建成，萬里長城是世界上最大的人造建築。

伯利亞飛鼠

西伯利亞虎

雙峯駱駝

蒙古包

西伯利亞鐵路

中國北京

三文魚捕魚區

火山

俄羅斯堪察加半島有超過**150座火山**。

中國是人口最多的國家，有超過10億人。

南韓首爾

日本東京

海龜

越南河內

這是世界**最高**的雙塔大樓，位於馬來西亞的吉隆坡。

雙子塔

印尼雅加達

下龍灣

這裏原本是越南的海岸，但海面上升浸沒了海岸，留下約2,000個島嶼。

北美洲和南美洲

北美洲和南美洲之間，有一窄小的陸地相連。這兩大洲有許多高聳的山脈、潮濕悶熱的熱帶叢林，也有許多獨特的動物。

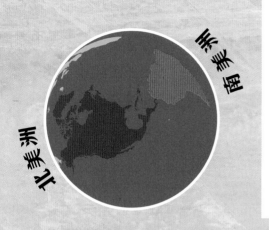

北美洲

南美洲

伊努伊特人

伊努伊特人住在北美洲的北部，那裏天氣非常寒冷，所以他們會穿着很厚的大衣來保暖。

船隻駛進美國紐約的港口時，就能看見自由女神像。

冰上曲棍球

加拿大
渥太華

美國華盛頓

北美洲

駝鹿

響尾蛇

洛磯山脈

海獺

大峽谷

大峽谷是一個很深的峽谷，幾百萬年以來，河流流過峽谷把石頭磨穿，因而形成峽谷的形狀。

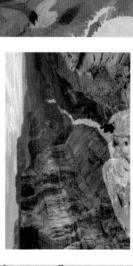

綠蠵龜

亞馬遜河

亞馬遜河是世界上水量最多的河流，流經亞馬遜熱帶雨林。

里約狂歡節

在巴西，這個節日為期數天，期間會有許多勁歌熱舞和精彩巡遊。

羊駝

南美洲

大嘴鳥

安地斯山脈

厄瓜多爾 基多

卡斯蒂略金字塔

是一座石廟，由瑪雅人在1,000年前建造。

墨西哥 墨西哥城

在的的喀喀湖，當地人會用蘆葦編製傳統船隻。

阿空加瓜山是美洲最高的山。

智利 聖地牙哥

安地斯神鷹

藍鯨

馬丘比丘

馬丘比丘古城位於秘魯山間，古城於15世紀，由印加人所興建。

厄瓜多爾的基多是世界上最高海拔的首都。

巴塔哥尼亞

巴塔哥尼亞是位於南美洲最南端的一個區域，那裏會有冰川（像河流般的冰）由山上滑下，也有從附近南極洲吹來的陣陣寒流。

藍湖溫泉

這裏天氣寒冷，所以很多人都喜歡在冰島藍湖那温暖的藍色湖水中浸浴。

艾雅法拉
火山

馴鹿

滑雪

瑞典
斯德哥爾摩

海鸚

這**鐵塔**位於
法國巴黎。

丹麥
哥本哈根

巨石陣

英國倫敦

鬱金香

德國柏林

紅褐林蟻

巴黎鐵塔

奧地利
維也納

大約5,000年前，
由史前時期的人建
造這個**石陣**。

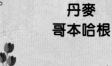

阿爾卑斯山

比薩斜塔

羊

庇里牛斯山

奧林匹
克像

西班牙很流行
的**舞蹈**。

這座**古塔**向一邊
傾斜，卻一直沒
有倒下！

葡萄牙
里斯本

佛朗明哥

歐洲約有
50個國家。

大約2,000年前，
第一屆**奧林匹克
運動會**在希臘舉
行。

遊輪

雪兔

俄羅斯皇室御用珠寶商為俄羅斯的統治者獻呈這款**鑲上寶石**的**蛋型工藝品**為禮物。

法貝熱
彩蛋

歐洲野牛

歐洲通常用這種樹作為**聖誕樹**。

挪威雲杉

貂熊

棕熊

金鵰

烏拉山脈
這位於俄羅斯的山脈，正處於歐洲與亞洲的交界。

★
**俄羅斯
莫斯科**

野豬

★
**烏克蘭
基輔**

海灘渡假營地

巴拉萊卡琴

厄爾布魯士山

僧海豹

聖巴西爾大教堂
聖巴西爾大教堂是俄羅斯莫斯科的著名建築，超過450年歷史。其上的圓頂樣子像洋蔥，塗上鮮艷的顏色。

歐洲

歐洲

歐洲有許多不同**國家**，人們說着多種不同的**語言**。有些歐洲城市已有數千年歷史，不少**歷史建築**仍然屹立於今天。

非洲

非洲是**世界上第二大**的陸洲，非洲有**熱帶雨林、沙漠、湖泊**和**草原**。世界上最大的沙漠——撒哈拉沙漠，也位於非洲。

非洲

這個古城的建築是由**赤泥磚**建成的。→

埃本哈杜

馬拉喀什

馬拉喀什是摩洛哥的一個城市，這裏有許多繁忙的市集，售賣各樣的香料、珠寶和皮革。

撒哈拉沙漠

在西非的**炎熱叢林**裏，水果生長非常茂盛。

香蕉

迦納
阿克拉

維多利亞瀑布

這個巨型的瀑布位於贊比亞和津巴布韋的交界，維多利亞瀑布是世界上最大的瀑布之一。

長頸鹿

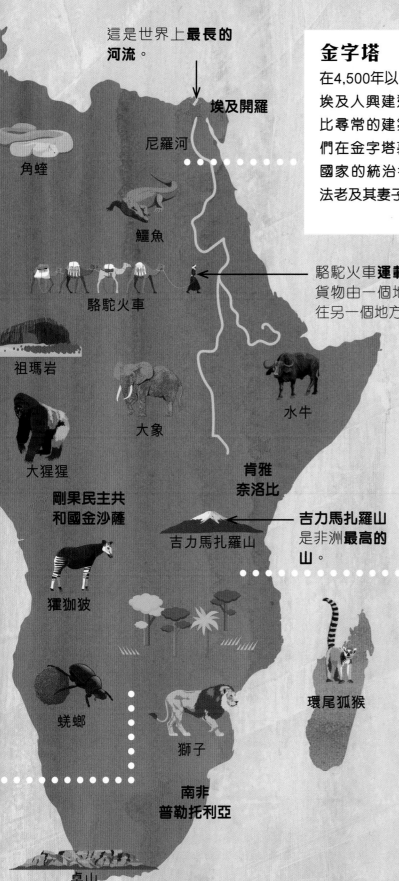

這是世界上**最長的**
河流。

尼羅河

埃及開羅

角蝰

鱷魚

駱駝火車

祖瑪岩

大猩猩

剛果民主共
和國金沙薩

玃㹶狓

蜣螂

獅子

大象

水牛

肯雅
奈洛比

吉力馬扎羅山

環尾狐猴

南非
普勒托利亞

桌山

駱駝火車**運載**人或
貨物由一個地方前
往另一個地方。

**數百萬年前，
人類的始祖居
住在南非。**

金字塔

在4,500年以前，古
埃及人興建這些非
比尋常的建築，他
們在金字塔裏埋葬
國家的統治者——
法老及其妻子。

吉力馬扎羅山
是非洲**最高的**
山。

國家公園

非洲有許多國家公園，其中居住着很多
不同的動物。你能在地圖中找到這些動
物嗎？

大洋洲

在偏遠的大洋洲上，有許多**獨特的動物**和植物品種。島嶼附近的**温暖水域**裏有許多色彩斑斕的**珊瑚礁**。

這個島嶼東部屬於**大洋洲**，西部屬於亞洲。

袋鼠

鬆獅蜥

鱷魚

烏魯魯

澳洲是大洋洲裏**最大的國家**。

澳洲野犬

有些岩石裏藏着色彩繽紛的**寶石**。

蛋白石

印度洋－太平洋列車

這條**鐵路**橫跨整個澳洲。

大洋洲

短尾矮袋鼠

這種可愛的小動物居住於澳洲西部，短尾矮袋鼠媽媽會像袋鼠那樣，將新生兒放在一個特別的肚袋裏。

大堡礁

珊瑚是一種小動物，牠們疊起來就會形成珊瑚礁，而顏色鮮明的魚會在其中游來游去。大堡礁是世界上最大的珊瑚礁。

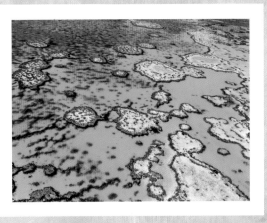

巴布亞新畿內亞
莫爾茲比港

鴨嘴獸

水肺潛水

衝浪

鯊魚

樹熊

拜倫灣燈塔

這歌劇院的頂部像是**船的帆**。

悉尼歌劇院

澳洲
坎培拉

澳式足球

這個美麗的瀑布位於**塔斯曼尼亞**，塔斯曼尼亞是一個屬於澳洲的島嶼。

尼爾森瀑布

黑衫軍

紐西蘭國家欖球隊稱為黑衫軍，他們是世界上數一數二的欖球隊，他們的制服是黑色的，而且他們會在每次比賽前都表演傳統的毛利戰舞——哈卡舞。

毛利人住在奧特亞羅亞約有700年，奧特亞羅亞即是現今的紐西蘭。

毛利會堂

奇異鳥

大洋洲由超過10,000個島嶼組成。

黃眼企鵝

紐西蘭
威靈頓

地球的結構

我們居住的地球是個奇妙的巨型球體，主要分為**五層**。我們居住在最外面的薄層之上，地球深層有**岩漿**。

如果向下挖掘，你需要挖掘6,400公里才能到達地球的中心。

地殼 →

地殼是地球最高的一層，像個外殼，地殼主要由固態岩石形成。

上地幔 →

上地幔連接着地殼，其中有固態和液態的岩石，液態的岩石又稱熱熔岩。

下地幔

這一層由熾熱的固態岩石形成，比上地幔更厚。

外核

外核是一些流動的液態熱金屬。

內核

地球的中心是由固態的熱金屬形成。

74

地殼的類型

地殼是地球的表層。地殼有兩種，分別是陸地的地殼和海底裏的地殼。

海洋地殼
海洋地殼是海底裏的薄地殼。

大陸地殼
大陸地殼是我們所居住的乾地。

地球像洋葱那樣有許多層。

內核的溫度像是太陽表面那麼熱。

火山裏

燒滾的熱岩漿在火山的岩漿庫裏。岩漿可能會冷卻凝固成岩石，也可能會噴發出來成為熔岩。

岩漿庫

火山爆發

火山爆發時，熱岩漿會上升，在火山頂部的火山口噴射出來。

火山

火山雖然壯觀，但也很危險。火山是一些**巨大的山**，裏面全是灼熱的**岩漿**，火山爆發時，熾熱的岩漿會噴到空中。

火山灰

火山爆發時，火山口會噴出許多小塊的岩石和岩漿，形成巨大的煙雲。這些火山灰會飄得很遠，甚至會影響世界各地的天氣。

熔岩

當火山噴出熱岩漿，這些岩漿就稱為熔岩。熔岩像噴泉般從火山口噴射到空氣中，然後像河流般沿着火山向下流，當熔岩冷卻後會凝固成為岩石。

火山的種類

活火山
在10,000年內曾經爆發的火山稱為「活火山」，它隨時都有火山爆發的危機。

睡火山
睡火山亦有可能會再爆發。

死火山
死火山是一些已經很久沒有爆發的火山，而科學家亦相信這些火山不會再爆發。

地震

地震的時候，**地面會震動**，有時小震，有時大震！每年有超過一百萬次地震，但大地震並不是經常發生。

黎克特制地震震級　　1　　2　　3

1934年，一位美國科學家研發以黎克特制地震震級來量度地震的強度，震級數字越大，代表地震強度越大。

低

小地震通常不容易為人察覺，這是指黎克特制3級以下的地震。

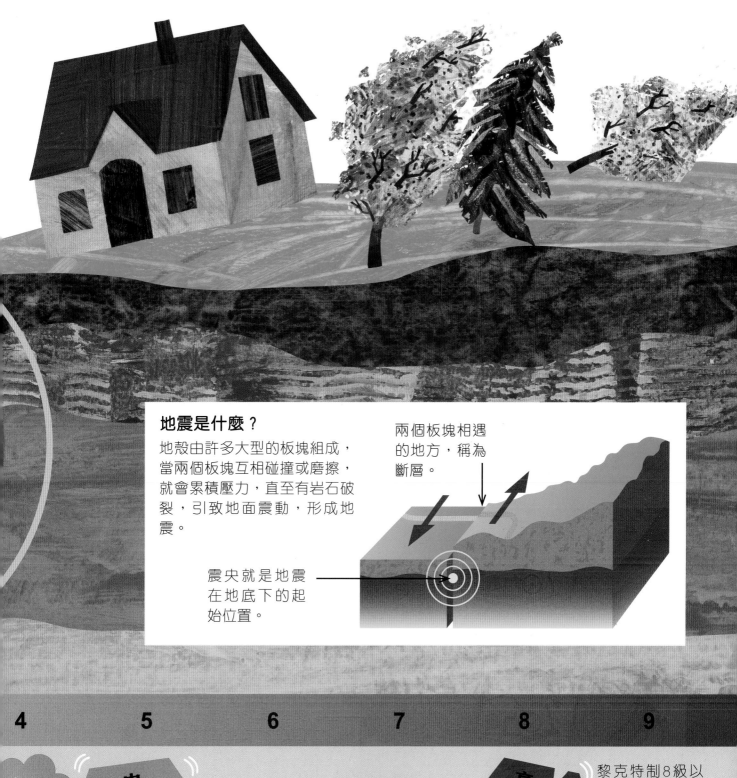

地震是什麼？

地殼由許多大型的板塊組成，當兩個板塊互相碰撞或磨擦，就會累積壓力，直至有岩石破裂，引致地面震動，形成地震。

兩個板塊相遇的地方，稱為斷層。

震央就是地震在地底下的起始位置。

| 4 | 5 | 6 | 7 | 8 | 9 |

中

高

黎克特制8級以上的地震，會引致極大的破壞。

世界之巔

世界各地都有山脈，即使在夏天，這些巍峨的**山巔**，都會被**雪**覆蓋。這些山通常都很陡峭，高聳入雲。

吉力馬扎羅山

吉力馬扎羅山是非洲最高的山，這山其實是個火山，但已經多年沒有爆發。

厄爾布魯士山

厄爾布魯士山是俄羅斯和歐洲最高的山，山頂長年積雪。

南極洲
文森山
4,897米

俄羅斯
厄爾布魯士山
5,642米

坦桑尼亞
吉力馬扎羅山
5,895米

山是怎樣形成的？

當地殼板塊互相碰撞，就會形成山。

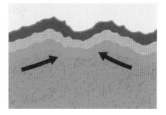

褶曲山

大部分的山都是褶曲山。當板塊緩慢地互相對撞，就會形成褶曲山。

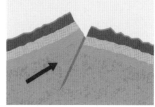

斷塊山

當地殼板塊出現裂紋，一邊的岩石被推向上，另一邊的岩口被推向下，就會形成斷塊山。

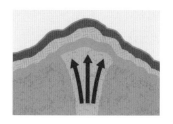

穹形山

當地球裏面的熱熔岩將地面推向上，就會形成穹形山。

最高的山

世界上最高的山就是喜馬拉雅山，位於中國和尼泊爾邊境交界，超過4,000名勇敢的登山客曾經登上喜馬拉雅山山頂。

中國、尼泊爾邊境交界
喜馬拉雅山
8,848米

阿根廷
阿空加瓜山
6,960米

美國
丹奈利山
6,190米

海底世界

海底其實比從水面**看起來更大**，因為海很深。淺水的地方比較溫暖，有更多的陽光透進水裏，但海底深處則比較黑暗和寒冷，海水裏的每一層都有不同的**生物**。

透光帶

這是海洋裏最高的一層，大部分的植物和動物都在這裏活動，這裏接收到最多的陽光，因此也最溫暖。

中層帶

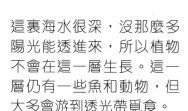

這裏海水很深，沒那麼多陽光能透進來，所以植物不會在這一層生長。這一層仍有一些魚和動物，但大多會游到透光帶覓食。

深海帶

沒有陽光能透過海洋的最底層，這裏的生物古怪又神奇。這裏沒有陽光，但有些動物會發光。

像海星這類的生物會黏着海牀。 ➡

水世界

地球也稱為「藍星球」，因為地球上大部分的地方都是水。

29%陸地　71%水

顧名思義，劍魚的鼻子又長又尖像把劍，牠會用鼻子來攻擊其他魚類。

海洋的最底是超深淵帶，只有很少生物能在完全黑暗的海底裏生存。

是海、還是洋？

地球有五大洋，以及許多體積較小的海。海比洋小，而且通常比較接近陸地。海洋裏的水都不能直接飲用，因為太鹹了！

沙漠之地

很多人都以為沙漠是一個廣闊灼熱的沙地，但其實沙漠只是一個**幾乎不下雨**的地方。沙漠可以是炎熱的，也可以是寒冷的，可以在內陸，也可以在海邊。

撒哈拉沙漠

灼熱的沙漠

沙漠上沒有雲，在日間非常炎熱，但在晚間卻又非常寒冷。非洲的撒哈拉沙漠是世界上最灼熱的沙漠。

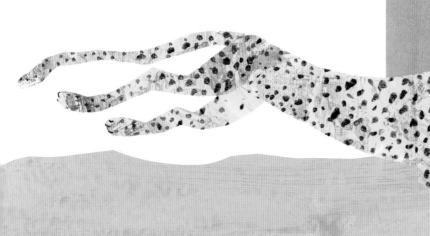

棕櫚樹

獵豹

沙漠裏有什麼？

在數千年之間，沙漠裏形成了一些特別的景觀。強風、熱力和水都會令沙漠的地形改變。

沙漠綠洲

沙漠綠洲就是沙漠裏一個有水、有樹、有植物的地方。

戈壁沙漠

阿塔卡馬沙漠

寒冷的沙漠

寒冷的沙漠的氣溫會隨着季節而有所轉變。亞洲的戈壁沙漠在冬天時會低至-40℃，比冰箱還要冷一倍呢！

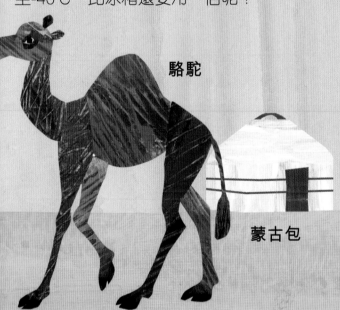

駱駝

蒙古包

海岸沙漠

海岸沙漠位於海洋與陸地交界的海岸上，長年不會下雨，然而，因海洋的冷空氣吹來沙漠上，常常會令海岸沙漠有濃霧。

紅鶴

仙人掌

沙塵暴

沙塵暴會將一大堆沙塵吹起，橫掃沙漠。

孤峯

孤峯是一些平頂的山丘，山坡非常陡峭。

岩石和礦物質

岩石由許多細小的**礦物質**組成，岩石有許多種，有些很**硬**、有些很**軟**、有些很易碎。

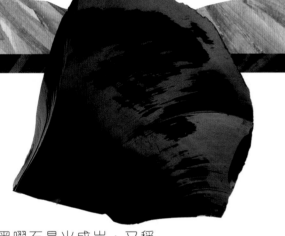

黑曜石是火成岩，又稱為「大自然的玻璃」。

火成岩

當岩漿冷卻，就會形成火成岩。火成岩在火山爆發後，在地底形成。

花崗岩橋

化石通常都在沉積岩上發現。

沉積岩

岩石經過風雨的風化，會碎裂成為較細的石頭，當這些石頭被擠壓在一起，就會形成沉積岩。石灰岩和砂岩也屬於沉積岩。

石灰岩山崖

挖掘車能協助我們尋找地底下的岩石和礦物質。

大理石是由石灰岩和礦物質組成的。

變質岩

當沉積岩或火成岩遇上熱力和壓力，就會改變，成為變質岩。

大理石雕像

寶石

寶石是由礦物質組成的水晶，石身堅硬，而且色彩奪目。寶石通常都藏在地裏，要挖掘尋寶。寶石經過切割和打磨，可以用來作珠寶首飾。

紅色礦物
石榴石

黃色礦物
黃鐵礦

白色礦物
月光石

綠色礦物
翡翠

藍綠色礦物
綠松石

紫色礦物
紫水晶

奇妙的水

你知道雨水從哪裏來的嗎？**水是持續在變動的**，它在海裏飄流，又升到空氣中，再降為雨，這稱為水的循環。

2. 凝固成雲

水蒸氣上升，遇冷後會形成小水點，積聚成雲。

1. 水蒸氣

太陽照射海面，使海面溫度上升，液態的水因此會變為氣態，稱為「水蒸氣」，水蒸氣會從海面升到空氣中。

3. 下雨

當雲比附近的空氣重,水便會
降成雨、雪或雹。

4. 回到海裏

雨水會流進溪澗河流,最後回到
大海,就是水循環的起始點。

水的種類

鹹水

海洋中的水是鹹水。鹹水很
鹹,不宜飲用,但浮力比淡水
大。

淡水

河流、湖泊和溪澗的水都是淡
水,然而,大部分的淡水都結
成了冰。

天氣是什麼？

下雨或大風、炎熱或寒冷、下雪或陽光普照，這些都統稱為**天氣**。你最喜歡哪一種天氣？

太陽

彩虹

天氣為什麼會轉變？

當空氣變暖或變冷，天氣就會改變。當這些變暖或變冷的空氣在地球大氣層裏移動，就會形成風和雨。

適當的衣服

如果天氣又濕又冷，你會穿哪些衣服？如果炎熱又有陽光，你又會穿哪些衣服呢？

下雪

大風

下雨

惡劣天氣

惡劣天氣，例如大風暴，可引致水浸、火災，帶來重大損失。

雷暴

轟轟雷聲中的雷雨，有時也相當壯觀。當雲上發生放電現象，空氣會變得炎熱，發出轟轟的聲音，這就是行雷和閃電的由來。

龍捲風

龍捲風是超高速的風，捲成一圈又一圈。龍捲風可以把車吹到翻轉，甚至把大樹吹得連根拔起。

冬季

冬季是個寒冷的季節！有些地方可能會下雪，而水窪和池塘亦可能會結冰；許多樹都會變得光禿禿，沒有樹葉。

季節

在一年中，**天氣**會有不同變化，而**大自然**也會**隨着改變**！在世界很多地方，一年會有四季。

春季

春季氣溫回暖。樹上會長出樹葉，色彩繽紛的花蕾也會開始發芽；許多動物也會出生。

夏季

夏季通常都陽光普照，花卉盛開，樹上的果實變得成熟。

秋季

秋季的時候，樹上的葉子會變成金黃色，慢慢掉落。隨着氣溫變冷，有些動物會進入冬眠狀態。

兩季

熱帶國家位於赤道附近，赤道是指位於地球中間一帶的地方，這些地方氣候相當溫暖，全年只有兩個季節，就是旱季和雨季。

熱帶雨

保護地球

地球為我們提供了各樣生存所需的資源，但這些資源並不是無窮無盡的，我們只需在生活上有一些**小改變**，就可以好好保護地球。

回收和重用

當我們丟掉垃圾，這些垃圾不會直接消失。大部分的垃圾會被燃燒掉或移送至堆填區，其實，有些垃圾是可以回收的，回收就是將垃圾變為新的東西重用！

減少使用塑膠

塑膠垃圾對環境造成很大負擔，因為塑膠很難消失，也對動物有害。你可以跟父母商量，少用膠袋，改用環保袋；你生日的時候，也可以請人送一些木製或二手玩具給你作為禮物。

地球暖化

科技發展、工廠和交通工具都需要能源才能驅動，而製造這些能源的過程中，會釋放許多氣體，令地球越來越熱，這將會為動物和大自然帶來禍害，例：令南極和北極的冰融化。

多走路和踏腳踏車

車輛會排放有害氣體，所以養成不用汽車出行的習慣，確實很棒。你和家人可以走路、踏腳踏車、用滑板車或穿滾軸溜冰鞋出行，一邊享受出行的樂趣，一邊守護地球。

告訴身邊的人！

多跟其他人分享保護地球的重要性吧！我們可以繪畫環保海報貼在家裏的窗上、開辦種植學會、或者跟家人舉辦拾垃圾的行動。

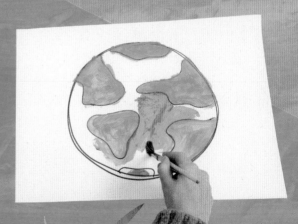

綠化環境

在家裏或學校裏耕種植物，能讓空氣更加清新，因為植物生長時會產生氧氣，而氧氣正是我們呼吸的氣體。

95

動物與大自然

生物是什麼？

　　我們身邊有各樣的生物，例如林間的**樹木**和**鳥兒**，以及我們花園裏的**花兒**和**小昆蟲**。但生物是什麼意思？

生物

生物會呼吸、成長、進食、活動和孕育新生命。動物會生兒育女，而植物會產生種子。

動物

動物是生物，例如魚、貓或大猩猩都是生物。

生物

會呼吸

會生長和死亡

需要食物

需要水

植物

植物是在地裏生長的生物，例如花、草和樹都是生物。

植物和動物有什麼不同？

動物可以做一些植物不能做的事。動物能四處走動，也會留意附近的環境動靜。為了生存，動物會吃植物或其他動物。

如果你看見野生蘑菇，只要看但不要碰，因為野生蘑菇可能是有毒的。

菌類植物

蘑菇和黴菌都屬於菌類植物，菌類以生或死的植物和動物作為食物。

非生物

我們的世界充滿許多非生物，這些非生物幫助植物和動物生存。有些非生物是自然物，有些則是人造的。

水

不論是小如螞蟻或大如大象，所有生物都需要水來維持生命。

光

光對所有生物都很重要，植物需要陽光來製造食物。

人造物品

世界上有許多東西都是人造的，例：塑膠泥鏟。

泥土

植物需要泥土才能生存。植物會在泥裏生根，好讓它們能站立生長；植物也會從土裏吸取水和食物。

礦物質

礦物質是在岩石和泥土裏的物質，植物需要礦物質才能成長。

植物和樹木

每天我們都能看見**花園**、**公園**和**家裏**盆栽中的植物在生長，植物為我們提供水果、蔬菜、藥物和製衣的材料。

花

葉

莖

根

花
花是植物顏色最鮮豔的部分，你會常常看見蜜蜂飛在花的附近。

毬果植物
泛指會生出木質毬果的樹木。

蕨類植物
蕨類植物沒有種子，卻生有一點一點的孢子在綠色的蕨葉下。

植物
植物有各種不同的顏色、形狀和大小，植物是其他生物的居所和食物。

苔蘚
苔蘚像生在樹木、岩石和地上的柔軟綠色地毯。

花樹

花樹在春天開花，在街上和花園裏，都能看到這些色彩鮮明、開滿花的樹。

常青樹

常青樹就是全年都保持綠色的樹。

落葉樹

秋天的時候，落葉樹的樹葉會變成橙色、紅色或啡色，然後掉落到地上。

蘋果樹

樹木

樹木是很高的植物，它有樹葉、樹枝，以及很粗的莖，稱為樹幹。樹木可以存活數千年。

果樹

許多樹都會長出水果，例如蘋果、梨子、橙和李子，這些水果我們都愛吃。

植物如何成長？

一開始，植物是一粒細小的**種子**。植物跟我們一樣，都需要**食物**才能成長，利用天空上的太陽和泥土裏的水，植物會自行製造食物；而它的**根部**會深入泥土中，吸取土裏的水份。

種子怎樣傳播？

種子就像是一個小袋子，裝起植物生長所需用的一切。有些種子很輕盈、外型有利於在空氣中飄揚，透過風力就能傳送到新的地方；有些種子則由昆蟲和動物帶走傳播。

3. 幼芽生長

幼苗從地上長出來，並慢慢地站直身子，向着陽光的方向生長。

2. 裂開

植物的根部會開始在泥土裏向下生長，根部有微細的根毛幫忙吸收水份。

1. 種子

當一顆種子開始成長，稱為發芽。種子會吸收水份，當成長到某個程度，種子披衣便會裂開。

5. 生長完成

植物已完全長成。有些植物能存活幾個月，有些則能存活數百年。

4. 長出葉子

植物的葉子會轉向面對太陽的方向，有些植物也會長出花兒或果實。

有足夠的水份和陽光，種子便會長成植物。

植物會釋出氧氣，無論是人類或動物，氧氣都是呼吸所需的。

植物會吸入空氣中的二氧化碳。

光合作用

植物會透過光合作用來製造自己的食物。葉子從陽光中吸收能量，然後將水份和二氧化碳轉化為糖。

植物從土壤裏吸取水份。

動物的種類

　　不論是巨大的藍鯨，還是細小的瓢蟲，我們的世界充滿了各種各類令人目不暇給的動物。不同的動物有不同的**特徵**，使牠們可以在不同地方**生存**，常見的有以下**六個動物種類**。

爬行類動物

爬行類動物身上有堅硬的鱗片，蛇、鱷魚和蜥蜴都是爬行類動物，大部分爬行類動物都是卵生的。

變色龍可以改變皮膚的顏色，這樣牠們就能隱沒在附近的環境中。

青蛙靠着後腿用力撐，就可以跳來跳去。

兩棲類動物

蠑螈、青蛙和蟾蜍都是兩棲類動物。兩棲類動物是冷血動物，可以在水裏和陸地上生活。

無脊椎動物

這些動物沒有脊椎，包括昆蟲、水母和蟲類。八爪魚也是無脊椎動物呢！

蜘蛛有八隻細長的腳，牠們會吐絲來織蜘蛛網。

鳥兒為什麼能飛？

大部分的鳥類都是天生就懂得飛翔的，牠們運用壯大的胸肌拍動翅膀，就能向前飛。鳥類的骨頭裏也有空氣，所以身體輕盈，方便飛行。

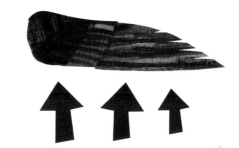

鳥兒飛的時候，翅膀下就會產生氣壓，將鳥兒推向上。

哺乳類動物

你知道人類是哺乳類動物嗎？所有哺乳類動物都有毛髮，新生的哺乳類動物，都會喝母親的奶。

老虎是很大很壯的貓，每隻老虎的皮毛都有其獨特的虎紋。

熱帶鳥的顏色非常鮮艷，而且通常有點嘈吵。

鳥類

世界各地都有不同的鳥類。有些鳥能飛，有些鳥會講說話，但所有鳥都有羽毛和喙。

魚類

這些在水中生活的魚類，身上大部分都長有鱗片，鱗片能保護牠們；魚在水底裏用鰓呼吸。

魚的身體通常是流線型的，配合拍動魚鰭，就能輕鬆在水裏滑行，許多魚都住在珊瑚礁附近。

家居寵物

有些動物比較野性，難以馴服，但有些則比較溫馴，適合作為家居**寵物**，例：小狗、小貓、魚、倉鼠。如果你可以養寵物，你會養什麼？

魚

養魚之前要確保有一個大魚缸，好讓牠們有足夠的空間游來游去。

金魚是最常見的寵物魚。

兔子

兔子容易感到孤單，所以最好養一雙。有些寵物兔會住在屋內，有些則住在戶外的籠裏。

龜

如果你想要養龜作寵物，請三思，因為有些品種的龜可以長得很大，而且能活超過50年。

照顧寵物

養寵物是很好玩的，但寵物是需要照顧的。每隻寵物都需要住在安全和清潔的環境，要有新鮮食物和水，要有足夠的活動空間，也要給予寵物許多的愛，就像爸爸媽媽愛你一樣！

水　　牀　　運動的地方

倉鼠　　食物

人類養貓的歷史，可追溯到12,000年前！

小狗

狗是很愛玩的動物，也是很受歡迎的寵物，牠們需要定時餵飼和帶牠們外出散步。

小貓

貓是很愛舒適的動物，很多貓都喜歡被撫摸，放鬆的時候也會咕嚕嚕地叫。

農場上

農場是個**繁忙**的地方。**清晨時分**，農夫便起牀餵飼動物，放好稻草和在田裏耕種，務農真是**勞動**的工作啊！

拖拉機

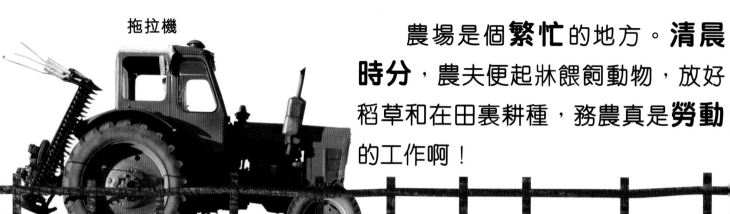

馬

在很多農場上，農夫都會騎馬出入，或是將重擔負在馬背上。

乾草

豬

嘿嘿！豬喜歡在泥地裏翻來翻去，這樣牠們就可以保持涼快，不會被太陽曬傷。

穀倉

莊稼

許多農場都會在大型的農田裏種植小麥、粟米和稻米。稻米通常種在炎熱國家的稻田裏，這些稻田是被水蓋淹着的田。

羊

羊發出的聲音是怎樣的？把牠們身上的羊毛剃下來，可以造成暖暖的羊毛衣服呢。

牛

哞！牛會生產牛奶，牛奶又可以製成乳酪。

雞

雞每天能生一隻蛋，牠們會坐在蛋上，確保雞蛋安全而溫暖。

濕地野生生態

泥塘、沼澤和濕地是一些地面**被水浸着**的地方，這些迷人的地方，正是許多住在水中的動物的家，不少**魚、鳥、青蛙**和**爬行類動物**也住在這裏。

泥沼

這裏的泥地很軟，感覺像海綿，因為泥土裏充滿了被雨水浸着的腐死植物。

青蛙會在水裏產卵。

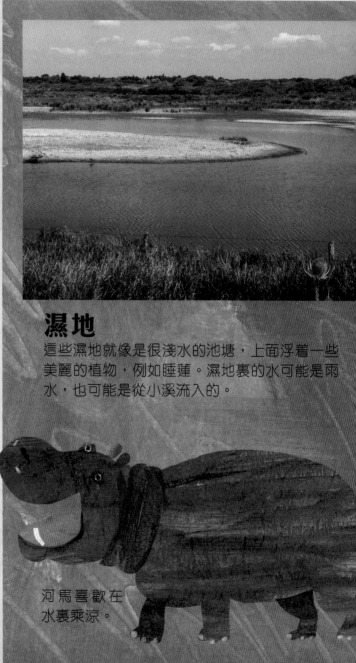

濕地

這些濕地就像是很淺水的池塘，上面浮着一些美麗的植物，例如睡蓮。濕地裏的水可能是雨水，也可能是從小溪流入的。

河馬喜歡在水裏乘涼。

潘塔納爾濕地

潘塔納爾濕地是世界上最大的濕地之一，這濕地橫跨南美洲的三個國家。這裏居住了許多奇異的動物，例如美洲豹、食蟻獸和巨獺。

美洲豹在濕地裏捉魚吃。

草本沼澤

草本沼澤的水塘水很淺，其中有許多細小的植物，例如蘆葦、草和草本植物。草本沼澤通常都處於海邊、湖邊或河邊。

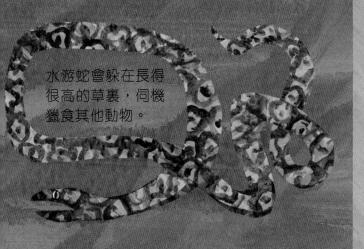

水游蛇會躲在長得很高的草裏，伺機獵食其他動物。

木本沼澤

木本沼澤的水比較深，這裏有許多樹和植物，因此也有許多動物在這裏棲息。

短吻鱷在水中獵食。

111

森林是什麼？

森林就是一個有很多樹的地方，世界上有各種不同的森林，裏面都有許多不同的植物和動物。

針葉林

針葉林位處偏冷的地方，針葉林裏的樹有針形的葉子，這些葉子全年都是綠色的。

針葉樹的針葉有的是軟的，有的卻像刺一樣。

森林裏的發現

走在森林裏，會讓你有神奇的經歷。抬頭能看見許多大樹，而低頭則能看見許多不同的**動物**和**植物**。

狐狸

真菌

獾

落葉林

春天的時候,落葉林會變得生氣勃勃,那裏會有彩色的花朵,又有不同的昆蟲和鳥類;秋天的時候,樹葉就會掉落。

啄木鳥

樹葉有不同的形狀和顏色。

熊

森林裏的食物

動物可以在地面,樹和灌木中找到食物,那裏通常都有好些美味的野莓和堅果!

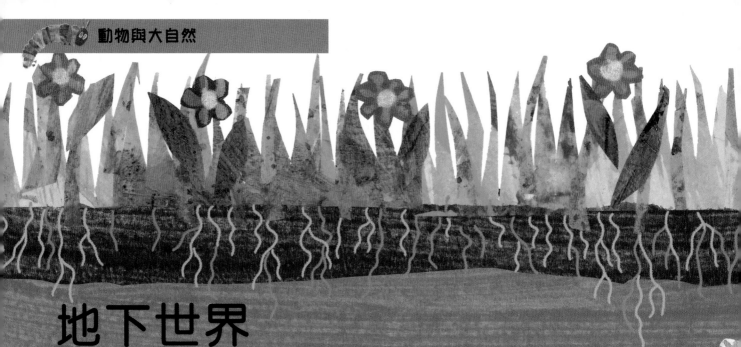

地下世界

泥土裏發生的事可多着呢！這裏有植物的**根部**，有小動物的**洞窟**，還有數以百萬計的小蟲在爬來爬去**覓食**呢。

蠕蟲

這些蠕動的蠕蟲身體很長很軟，沒有腳。

百足

百足有很多隻腳，走路的時候會像波浪一樣。牠會用腳來推動自己向前，而走過的路，會遺下平坦的路徑。

蛞蝓

蛞蝓很喜歡躲在潮濕的地方，所以下雨後很容易見到牠們。牠們走過的路，會遺下黏糊糊的痕跡。

向下扎根

植物的根會在泥土裏向下生長，從而吸收水份，用以製造食物。泥土下的根生長時會展開來，根與根之間糾纏在一起像個網一樣。

神奇的小蟲

昆蟲類是世界上最大的一羣動物。大部分的昆蟲都很細小，喜歡地底裏陰涼、黑暗和潮濕的環境。

鼴鼠

鼴鼠很會挖洞穴，牠們花很多時間挖掘地下隧道，然後在這迷宮般的隧道中尋找小蟲作食物。

螞蟻

螞蟻這種動物非常奇妙，牠們成羣結隊，在隱秘的地下隧道裏運送食物。

甲蟲

甲蟲是最常見的一種昆蟲，牠有堅硬的外翼保護着負責飛行的翼。

岸邊的生物

無論你身在那兒，都歡迎你到**沙灘**走走，看看那裏有哪些不同的**海鳥**和其他有趣的動物。

海鷗

海

沙

沙灘

很多動物喜歡取用沙灘的沙石和植物來築巢，這些動物包括海鷗、海豹和海龜。

鵜鶘

海豹

潮汐是什麼？

海岸邊的水位時高時低，這就是潮汐。潮退的時候，沙灘是乾的；潮漲的時候，沙灘便淹沒在水底下了。

潮漲

潮退

海龜會在沙灘上產卵，然後把這些卵藏在沙灘上的深洞裏。

海龜

螃蟹

潮池

沙灘上的潮池能讓我們清楚看見神奇的海洋生物和植物。潮退後，潮池便會出現。

海草　　　魚　　　海星　　　海葵

117

海洋生物

海底裏的世界色彩斑斕、生動多姿。這裏居住着許多不同的動物，有些很大，有些很小；有些很多刺，有些則很多鱗片！

魚羣

有時，魚和其他海洋生物會一起游泳，排列成漂亮的形狀，我們稱之為魚羣。

鯊魚

鯊魚的牙齒很尖，尾巴亦很有力，所以牠們是海裏最厲害的獵食者。最大的鯊魚長18米，是兩輛巴士的長度啊！

海馬

海馬身形細小，但身體有些刺狀的結構，牠們在淺水區垂直地浮游着。雄性海馬負責在肚子的袋裏懷着小海馬。

海洋的底部就是海牀。

海豚

海豚是很活潑的動物，牠們喜歡在海裏跳躍和玩耍。海豚是羣居的動物，會用口哨和咔嗒聲跟同伴溝通。

海牛

海牛的體型巨大，是草食性動物。牠們是很溫馴的動物，喜歡在淺水區出沒。

水母

水母的身體很柔軟，會隨着水流飄浮和移動。牠們有很長的觸鬚，觸鬚可以刺人。

珊瑚礁

珊瑚礁色彩繽紛，由許多動物珊瑚組成。珊瑚會用觸鬚捕捉附近的浮游生物作為食物。珊瑚礁位於溫暖的淺水裏，這裏同時也是許多不同動物的居所。

海星

海星星形的身上佈滿吸盤，靠吃較小的動物維生，例如蝸牛、蛤蜊和牡蠣。

山間生活

山間寒風陣陣，沒有太多**食物**，**空氣**也稀薄，這些動物卻有辦法在這樣的**艱苦環境**下生存。

喜馬拉雅小貓熊

喜馬拉雅小貓熊像是熊和熊貓的合體，但牠其實是屬於浣熊類的。

美洲駝

又稱羊駝，牠的腳步輕盈，擅於爬上陡峭的山徑。

雪羊

雪羊靠着身上的厚毛來保暖，牠們的蹄抓地力特別強，使牠們可以在山間的岩石上跳躍。

安地斯神鷹

安地斯神鷹是世界上最大的鳥類，出沒於南美洲的安地斯山脈。

保暖

日本獼猴，又稱雪猴，會泡浸在溫泉裏取暖。跟人類一樣，牠們也會互相依偎在一起取暖。

雪豹

這隻大貓的爪很寬大，又長得像海綿一樣，這有助牠們在冰上行走。雪豹的行蹤不易披露，因為牠們皮毛的顏色跟蓋雪的斜坡非常相似。

犛牛

犛牛是牛家族裏一種有角的動物，牠們的毛很長，而且有兩層，外層是防水的，而內層則替牠們保暖。

沙漠生物

在沙漠中生活，一點也**不容易**。沙漠非常**炎熱**，而且**水源很少**。在沙漠中生活的生物，有自己的辦法找到水源，也有獨特的乘涼秘方和生存之道。

駱駝

駱駝在駝峯裏儲存着脂肪，所以牠們可以好些時候不需要進食或喝水。

跳鼠

跳鼠會在沙漠裏挖掘細小的地洞乘涼。

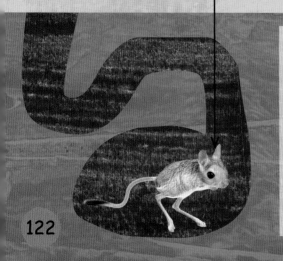

生存之道

能在沙漠裏生存，是因為這些動物擁有有利於生存於沙漠的特點，這些特點可以是令他們保持涼快、得到掩護、或有利於攻擊獵物。

耳廓狐

毛茸茸的耳廓狐有一對大耳朵，大耳朵有助身體散熱，保持涼快。

鷹

強勁的鷹爪加上高速的飛行，使鷹成為首屈一指的獵食者。

瞪羚

瞪羚跑得很快，而且可以數個月也不用喝水，牠會從植物裏吸取水份。

蝰蛇

小心！蝰蛇在沙地裏蜿蜒前進，牠們的顏色跟沙地相似，常常出其不意地攻擊獵物！

蜥蜴

沙漠裏有各式各樣的蜥蜴，蜥蜴移動得很快，所以即使走在灼熱的沙上，腳掌也不會燙傷。

澳洲魔蜥

哎呀，這隻動物似乎會把人刺痛！澳洲魔蜥滿身尖刺，故此，很難被其他動物所獵食。

蠍子

如果蠍子舉起尾巴，這表示牠已準備好攻擊，那就要當心了！蠍子尾巴末端是帶有毒液的螫針，可以致命。

極地生物

北極和**南極**位於地球的兩極，這些**極地**地區非常**寒冷**，但這裏仍然有一些耐寒的動物居住。

北極兔

北極兔的腳很大，方便跑跑跳跳，牠們跑跳的時速可高達每小時65公里！

北極狐

這些毛茸茸的狐狸原來可以改變毛色！冬天的時候，牠們的毛色會變成白色，融入雪景，夏天的時候則會變成灰色。

北極燕鷗

北極燕鷗每年都會長途飛行，牠們會由北極飛到南極，然後再飛回北極，路程達數千哩。

皇帝企鵝

天氣很冷的時候，皇帝企鵝會圍在一起取暖。這種大鳥不會飛，但卻很會游泳。

 南極

耳烏賊

耳烏賊可以在黑暗裏發光！這個特殊技能使牠能夠融入明亮的水中，躲避獵食者。

北極熊

北極熊的樣子很可愛，但其實是兇猛的獵食者。牠們那一身白色的皮毛使牠們可以藏身於雪地之中。

北極

一角鯨

一角鯨有一枝又長又尖的長牙，因此也稱為海裏的獨角獸。

虎鯨

這種巨大的海豚是羣居的，牠們可以在半睡的狀態時游泳！牠們一邊的腦袋保持清醒，另一邊的腦袋則在小休。

海豹

海豹可以在海底游水，和在冰上生活，牠們靠獵食深海裏的魚為生。

熱帶叢林的深處

熱帶雨林可以分為**四層**，每層都有非常迷人的動物和植物住在其中。

猴子

蝙蝠

樹獺

不尋常的動物

由於熱帶雨林氣候溫暖潮濕，而且有許多樹木作為遮蔽掩護，所以這裏居住了許多獨特的動物，是在世界其他地方找不到的。你在樹上找到多少種動物？

鸚鵡

食蟻獸

鳥

蝴蝶

蛇

雨林有以下的分層。

露生植物層
猴子會爬到樹頂，鳥兒也會在樹上飛。

冠層
冠層是由很多樹頂組成，這層是厚厚的一層。這一層裏，居住着蝙蝠、蝴蝶、以及許多攀緣植物。

下木層
這一層有好些矮小的樹，例如棕櫚樹、葡萄藤和蔓生植物。你也會在這裏找到樹獺、美洲豹、蛇和青蛙，牠們很喜歡在冠層底下的樹蔭裏生活。

地面表層
地面表層有很多泥濘，也有許多樹葉。這裏是熱帶叢林最陰暗的地方，居住了許多昆蟲，例如螞蟻、甲蟲和百足。

草原生物

你準備好來一場**大草原**之旅嗎？你在綠草如茵的平原上，會看見哪些動物在**吃草**、**躲藏**和**獵食**？

草原犬鼠

犬鼠可不是狗喔！牠們是一種住在地底洞窟的松鼠。

短尾矮袋鼠

這些毛茸茸的小生物四處跳躍覓食，牠們會伸出舌頭來降溫。

斑馬

沒有兩種斑馬是一模一樣的，牠們每一隻都有獨特的斑紋。

今天晚餐吃什麼？

動物有不同的飲食習慣，有些會獵食、有些吃動物屍體、有些吃草和植物。

大象

大象會吃很多的草和葉。牠們的糞便令泥土肥沃，使植物生長得更好。

相思樹

草原上很少樹木，但你可能會看見遠處有一兩棵相思樹散落在平原上。

長頸鹿

長頸鹿會伸長脖子，吃樹頂上那些新鮮美味的葉子。

鴯鶓

這種鳥很高，會走好幾公里的路去覓食，牠們以植物和昆蟲為生。

長尾猴

聰明的長尾猴是羣居的動物，牠們常常會互相梳毛。

蜣螂

這種強壯的昆蟲會滾着一大球動物糞便，在其上產卵。好臭啊！

獅子

獅子是大型的貓，也是很厲害的獵食者。獅子很強壯，跑得很快，也能隱身在草叢裏等候獵物的到來。

禿鷲

禿鷲是食腐動物，即是說牠們以吃動物屍體為生，牠們會用超強的視覺和嗅覺來尋找食物。

129

捉迷藏

　　有些動物身上的**顏色**和**花紋**，使牠們可以融入其周圍的環境中，這稱為**保護色**，而這些動物便可以躲避其他動物的獵食。

你找到多少隻變色龍？

變色

有些動物可以改變自己身體的顏色來融入周圍的環境，例如變色龍，牠們也會改變顏色來令身體涼快一點，或表示自己處於憤怒的狀態。

裝扮掩飾

有些螃蟹會將細小的珊瑚放到自己的殼上作裝飾；寄居蟹則會躲進一個空殼裏來保護自己柔軟的身體，牠們會把腳伸出來走路，背着自己的「家」四處走動。

換色的外衣

在冬天，北極兔的皮毛是白色的，方便融入雪景；在夏天，牠的皮毛會變成啡色，讓牠走在泥土和岩石上時，沒那麼容易被發現。

融入環境

老虎橙色皮上的黑色條紋，讓牠們能輕易融入長草和森林中，牠們的保護色令獵物不容易察覺牠們的存在。

夜行生物

當你睡覺的時候，有些動物**才剛醒來**，預備迎接忙碌的一晚，牠們就是**夜行**動物。夜行動物有大耳朵和大眼睛，這有助牠們在黑暗中覓食。

狼

狼主要居住在天氣較冷的地方，是羣居的動物，牠們會分工合作一起獵食。

浣熊

在北美洲、歐洲和日本，浣熊靠牠們的爪去感受身邊的食物，也用靈敏的嗅覺來嗅嗅附近有些什麼。

嬰猴

嬰猴來自非洲，牠們會在樹上和地上竄來竄去，尋找昆蟲作食物。

貓頭鷹

世界各地都有貓頭鷹，牠們的聽覺非常敏銳，就算飛在天上也能聽到地上有些什麼動靜。

螢火蟲

世界上很多地方都能找到螢火蟲，牠們會在黑暗中發光，牠們的光會引來異性繁殖，但有些情況下，卻會引來其他螢火蟲作晚餐。

蝙蝠

蝙蝠在夜空中飛翔，在很多不同國家也能見到牠們。牠們會發出聲響，當聲響從飛蛾或其他獵物身上反彈回音，蝙蝠就知道這些獵物的所在，這是蝙蝠特有的回聲定位法。

刺蝟

刺蝟會在歐洲、亞洲和紐西蘭出沒，牠靠嗅覺尋找地上的昆蟲為生。

超強感官

在黑暗中，我們難以看見，但許多夜行動物卻看得見！牠們有些有超強的聽力，或是超強的觸覺，令牠們知道附近有些什麼。

133

5. 雞

4. 小雞

1. 雞蛋

2. 雞蛋孵化

3. 剛孵出的小雞

雞

母雞會在巢中生蛋,她會坐在其上,確保這些雞蛋既安全又溫暖。當小雞生長得夠強壯,就會從蛋中孵化,小雞長大後,原本毛茸茸的羽毛就會換成堅硬、深色的羽毛。

3. 蝶蛹

毛蟲會用一個堅硬的蝶蛹作為外殼包裹着自己,毛蟲在蝶蛹裏藏着之時,身體會經歷奇妙的變化。

生命周期

　　動物會經歷**不同的生命階段**,稱為**生命周期**。有些動物是**卵生**的,當雌性動物發育完全,牠們便會產卵,生命周期周而復始。

在《好餓的毛毛蟲》
一書裏，毛毛蟲變成了繭，而
不是蛹！作者艾瑞·卡爾（Eric
Carle）形容他的毛毛蟲是「不尋
常的」。小時候，艾瑞·卡爾的
爸爸會說：「艾瑞，快從你的繭
裏出來吧。」所以，在《好餓的
毛毛蟲》一書裏，暫時放下
科學，感受詩意吧！

蝴蝶

你能想像那葉子上的一個卵，
能變成美麗的蝴蝶嗎？蝴蝶在
生命周期的每個階段的樣子都
很不一樣。

4. 蝴蝶

美麗的蝴蝶破蛹
而出，預備好再
次產卵了。

1. 卵

蝴蝶會在葉上
產卵。

2. 毛蟲

卵中孵化出小毛蟲，
這隻小毛蟲很飢餓，
於是會吃掉葉子，慢
慢生長。

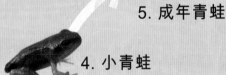

5. 成年青蛙

4. 小青蛙

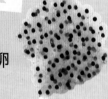

1. 卵

3. 長出蛙腳

2. 蝌蚪

青蛙

青蛙是兩棲類動物，牠們可以在陸地上
和水裏生活。牠們在水裏產卵，孵化為
會游水的蝌蚪，然後才長成會四處跳躍
的青蛙。

歷史

博物館之旅

參觀博物館就像走進了一個時空之旅，可以**增進**我們對**歷史的認識**。我們先看哪一樣好呢？

博物館裏見到的這種恐龍化石，是由專人小心翼翼地像砌拼圖一樣逐條骨頭拼砌，才砌成這個暴龍骨骼標本的。這隻恐龍是數百萬年前的動物呢！

恐龍

史前人類
早期的人類會製造不同的工具來捕獵動物，他們會用骨頭或石頭造出尖銳的箭頭。

數百萬年前，地球上動物的長相跟現今的不同。這毛髮很長的長毛象，是大象的一種，我們能知道長毛象長成什麼樣子，是因為人類發現了好些被冰封的長毛象。

史前動物

古中國
秦始皇統一中國後，成為中國第一位皇帝。他有7,000兵馬俑陪葬，這些兵馬俑是用赤陶造成的，赤陶是陶瓷的一種。

古埃及
古埃及皇帝圖坦卡門（Tutankhamum）死後，後人為他打造一個金面具作陪葬品，這個面具有超過3,000年的歷史，而且非常重。

古希臘
神明對於古希臘人而言，是非常重要的。這隻用赤陶造的馬，是獻給神明的禮物。

古羅馬
在2,000年以前，羅馬軍隊統治了許多國家，當時，羅馬士兵所戴的頭盔上，裝飾着馬毛。

恐龍

數百萬年前，地球上曾存在過一種奇特的**爬行類動物——恐龍**。有些恐龍小得像雞，有些則比人類高大很多。

梁龍

脖子很長的恐龍是蜥腳龍，例：梁龍。

恐龍是什麼？

由2.3億年前至6,600萬年前生活的爬行類動物，稱為恐龍。有些恐龍吃肉，是肉食性動物；有些則吃葉子，是草食性動物。牠們有的用兩腳行走，有的用四腳行走。

暴龍

暴龍樣子兇惡，而且有巨大而尖銳的牙齒，會毫不留情地噬咬獵物。

翼龍
翼龍不是恐龍，而是一種會飛的爬行類動物，生活在恐龍時代。

鳥類
在一顆小行星撞擊地球後，令當時所有恐龍都死了，就只有鳥類存活！故此，我們在今天仍能看見鳥類。

有羽毛嗎？
有很長的時間，人們以為所有恐龍身上都是長有鱗的，像現今的爬行類動物。然而，原來有些恐龍身上覆蓋着顏色鮮艷的羽毛。

三角龍
三角龍是吃葉子的，牠有三隻角和骨褶邊，以抵抗獵食者。

凶猛的化石
我們知道恐龍曾經存在，因為牠們在稱為化石的石頭裏留下了一些生活痕跡，以下有兩種常見的化石。

足印
恐龍在泥地裏留下足印，這些泥土經過數百萬年後形成了化石。

糞便
在化石中，居然還能發現恐龍糞便！由此，我們可以得知恐龍是吃什麼的。

劍龍
劍龍背上的骨板能吸引異性。

141

弓箭

石器時代的人類會用尖銳的棒、矛或弓箭來捕獵動物；他們也會採集水果和堅果來吃。

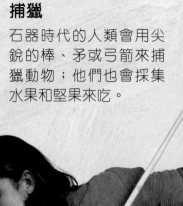

史前人類

　　大約在330萬年前，古代的人類住在簡陋的小屋或山洞裏，並用石頭造出各樣的**工具**，這個時代稱為**石器時代**；直至4,000年前，人類學會耕種，石器時代就結束了。

矛

隼

生火

人類大約在150萬年前學會生火，火能帶來溫暖和光明，也能用來煮食。

建造庇護所

為了在天氣不好時能躲藏起來，古代的人類便用木柱來搭建簡陋的小屋，並在其上覆蓋動物皮和樹皮。

古埃及

由公元前3100年至公元前30年，古埃及位於**非洲東北部**，是**最早的文明古國**之一。古埃及有自己的皇帝和皇后，有許多令人歎為觀止的建築物，也有許多有趣的傳統。

金字塔

金字塔建於4,500年前，是位高權重的法老葬身之地。金字塔裏有許多寶藏、畫作和雕刻。

眼鏡蛇

女神瓦吉特的代表形象乃是一條站立着的埃及眼鏡蛇，這種毒蛇象徵着王權。

貓

古埃及人認為貓會帶來好運，許多家庭都會以貓為寵物，甚至還會為牠們穿金戴銀。

木乃伊

當身份顯赫的古埃及人離世，他們的身體就會經過特別處理，製成木乃伊，預備來生。製作木乃伊，要先取出死者的內臟，然後用布緊緊地包裹屍體。

放置木乃伊的棺材稱為石棺。

尼羅河流經
古埃及的中心。

耕種

古埃及的農夫種植蔬菜和穀物，也
飼養牛，牛除了幫忙犁田外，還提
供牛奶和牛肉給古埃及人吃喝。

甲蟲

太陽神凱布利的
代表形象乃是一
隻聖甲蟲。

法老

統治古埃及的皇后
和皇帝，稱為法
老。他們會戴上特
別的皇族頭飾，受
人民膜拜，尤如神
祇一樣。

皇后娜芙蒂蒂

象形文字

這種圖像化的符號稱為象形文字，是古
埃及人的書法文字。古埃及的書吏是受
到器重的人，負責學習閱讀和書寫。

145

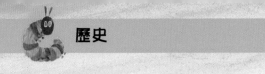

位於希臘雅典的
巴特農神殿。

希臘花瓶

古希臘

　　古希臘文明大約是公元前1200年至公元600年之間，古希臘以他們的**藝術**、**建築**和**戲劇**聞名。

希臘神明

古希臘人相信世界有不同的神明，分別掌管不同的事物，例：戰爭、愛情或來生。

宙斯　　阿芙蘿迪蒂　　阿波羅　　黑帝斯

於意大利羅馬的競技場。

古羅馬

約2,000年前，古羅馬帝國**版圖甚大**，古羅馬的首都是**羅馬**，位於現今的意大利。

羅馬士兵

這些羅馬士兵令人望而生畏，他們受過精銳訓練，所穿的盔甲由金屬環鎖製作，稱為鎖子甲。

羅馬社會

古羅馬居住了很多不同的人，他們分成不同等級，按照其在羅馬社會上的工作而定。

皇帝　　公民　　自由民　　奴隸

147

歷代的中國

中國的著名**發明**，對世界有重大影響，例：絲綢和紙。而**藝術**，也是中國文化的重要一環，例：陶瓷和繪畫。

在公元前221年，中國第一位皇帝統一了幾個王國。

萬里長城

萬里長城建於2,000年前，總長8,850公里。

兵馬俑軍隊

中國第一位皇帝秦始皇的墳墓，有一隊兵馬俑軍隊守衛著，這些雕像是由700,000名工人所建的。

瓷器

中國瓷是陶瓷的一種，價值連城，這些瓷器通常都會繪上美麗的繪圖。

中國龍

中國的龍是一種傳說中的生物，由許多不同動物的不同部分組成。龍是仁慈和關愛人的，但也同時代表着權力和力量。

文字

早期的中文字是由象形符號發展而成的。現今，中國人大約會使用3,500個不同的中文字。

絲綢

在5,500年前，中國人以蠶繭造絲綢，在經過一千年後，製造絲綢的秘訣才流傳出中國。

城堡之迷

你知道**世界各地**都有不同的城堡嗎？城堡是很堅固的建築，可以**保護**國王、皇后和其他重要人物，免受**敵人攻擊**。

城堡設計

城堡經常都建於山上，所以相對難以前往，有時城堡附近會有小鎮。

旗子
每個城堡都有自己的專屬旗子。

城樓上的走道，稱為城堞。

很多城堡都有堅厚的石牆。

有些城堡旁邊還會有壕溝或護城河，加強防護。

若收起了城堡的吊橋，敵人便無法進到城堡。

150

騎馬比武

在中世紀，騎士會參與比武來娛樂大眾。他們騎在馬上，拿着長竿進攻，能把對方從馬上撞跌的，就是勝出的一方！

瞭望台

高的塔樓可以眺望遠方，一覽無遺，是個理想的守望之處。

今天的城堡

世界各地有各式各樣的城堡，有不同形狀的，也有大有小的。

馬克斯城堡

馬克斯城堡高聳於德國萊茵河之上，經歷過多次戰爭，也未被摧毀。

姬路城

這座壯麗的日本城堡，屢經戰爭和地震，至今仍屹立不倒。曾經有炸彈落在城堡的堡頂，但幸好炸彈沒有爆炸！

騎士堡

騎士堡位於敘利亞，擁有兩圈厚牆，敵人難以入侵；這座城堡還大得可以容納2,000人呢！

151

探索世界

歷代有不少人勇於**踏上征途**，長途跋涉地**探索**地球上的許多高山、大海和陸洲。

指南針是中國發明的，最先用於航行，讓船隻可以辨認方向。指南針有一枝磁石針，永遠指向北方。

探險家

在10至18世紀之間，歐洲有許多探險家遠航，聲稱發現新大陸，然而，這些地方大部分已經有人居住。

沉船

在深海裏的海牀上，可以找到沉沒船隻的殘骸，有些人在這些沉船上找到寶藏，例如銀幣、金幣和珠寶。

潛水員背着氧氣筒可以在水底裏進行長時間的探索工作。

極地探險

有些冒險家勇於探索地球上的極地，他們喜歡攀爬很高的山、走進極寒冷的大陸、或是潛進很深的海底裏去。

新發現

探索新地方，就能發現各樣新奇有趣的事物。世界各地的植物和動物都各有不同，還有很多關於地球的知識仍待我們發掘呢！

153

從前……

歷世歷代的人都很喜歡說**故事**，有些故事很有趣，有些則讓我們有所學習。讓我們分享以下的**民間故事**給你吧。

口渴的青蛙

長久以來，澳洲原住民都喜歡講述關於大自然的故事。其中一個家傳戶曉的故事是關於一隻口渴的青蛙泰多力，牠喝光了地上的水，這故事的中心思想是要懂得分享。

一千零一夜

阿拉丁的故事源自於《一千零一夜》故事集，這些精彩的故事常常加入了魔法和冒險的元素。這些故事最初由中東市集裏那些說故事的人所流傳，後來在9世紀開始陸續以文字記錄下來。

小美人魚

這個故事是丹麥作家安徒生（Hans Christian Andersen）在1837年所寫的，講述一個想成為人類的美人魚的故事。你聽過這個故事嗎？

阿南西

阿南西是一個騙子，有着蜘蛛的外型，他的故事源自西非迦納，這些故事想要帶出是非對錯的觀念。

故事時間

許多傳說和故事都由很類似的角色、主題和佈局組合而成。你能用以下的元素創作一個故事嗎？

城堡

鬼魂

魔法

海盜船

皇室

怪獸

龍

巨人

狼

仙子

牛郎織女

這個浪漫的中國故事，是講述牛郎與織女之間的愛情故事。牛郎與織女被驅逐，一個在銀河的東邊，一個在銀河的西邊，每年七夕才能在鵲橋上相會。

獨角獸

精靈

洞穴藝術

現時已知的最早洞穴繪圖，約出現於45,000年前，當時，畫家所用的是源自大自然的材料，例如木炭。

非洲面具

古代的非洲部落技術精湛地雕刻木面具，再塗上顏色，在特別的節慶中使用。

中國瓷器

這些精緻的塗色瓷器最初見於中國，有超過2,000年的歷史。

經典雕像

這些栩栩如生的人物雕像見於古希臘和古羅馬。

藝術的歷史

自古以來，人類都十分有**創意**。在數千年前的洞窟中，在其牆上已有**壁畫**。你可以到**藝術館**裏認識不同類型、顏色、形狀和大小的藝術作品。

文藝復興

在1300年至1600年間，藝術家們畫了好些非常出色的畫作，他們從經典藝術中取得靈感。

印象派

到了1800年代，畫家嘗試在畫作中加入更多光影和動感，筆觸未經修飾而顯見。

抽象派

在抽象派藝術裏，畫作和雕塑一點都不需要寫實！它們所呈現的是一種心境。

艾瑞·卡爾
（Eric Carle）

美麗的藝術可以令好的故事更上一層樓！艾瑞·卡爾為超過70本書繪畫插圖，這些書本包括各類的故事，例：關於動物、大自然、盼望和愛等等。艾瑞·卡爾也為本書繪畫插圖！你在這頁能找到嗎？

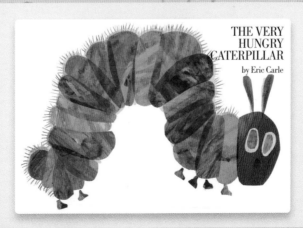

《好餓的毛毛蟲》初版在1969年出版，此書在書頁上開了洞，顯示出毛毛蟲吃掉不同的食物。

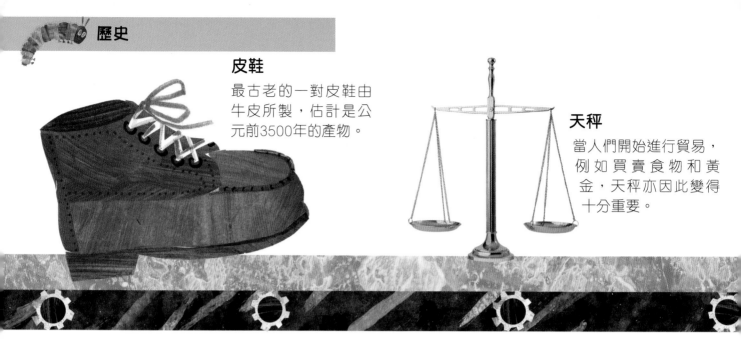

皮鞋

最古老的一對皮鞋由牛皮所製，估計是公元前3500年的產物。

天秤

當人們開始進行貿易，例如買賣食物和黃金，天秤亦因此變得十分重要。

超棒的發明

發明的意思就是把以前從來沒有出現過的作品製造出來。不同的發明可以**解決不同的問題**，**令生活更加方便**。這裏有好些歷史上的重要發明。

相機

1888年，第一部相機在美國紐約開售。

電燈泡

在電燈泡發明以前，大家都是用蠟燭來照明的。

電視機

近70年來，許多家庭都擁有一部電視機，下面是一部現代的電視機。

紙張

公元100年，中國的蔡倫最先發明由植物纖維製造紙張。

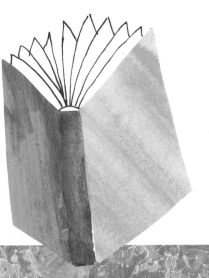

算盤

算盤是最初型的計算機，約在公元190年由中國發明。附圖是一個顏色鮮豔的現代算盤。

電話

電話發明於1876年，當時的電話跟我們今天的電話，樣子也不太一樣。

方底紙袋

美國發明家瑪格麗特·奈特（Margaret Knight）小時候已經開始發明各樣小玩意，她後來發明了一部機械來摺紙袋。

印刷術

印刷術大約發明於1440年，自此，我們便開始印刷雜誌和書刊。

抗生素

抗生素是用來治療細菌感染的藥物，最初在1920年代在英國發明。

原子筆

在1945年，發明了原子筆。原子筆發明以前，人們用鋼筆書寫，然而鋼筆很容易因漏墨而弄得一團糟。

智能電話

第一部智能電話是在1992年發明的。智能電話能連接互聯網，讓我們方便地分享資訊。

最早的交通工具

數千年前，人類只能用步行的方法，行走短距離的路程。今天，我們有**海**、**陸**、**空**各種不同的交通工具。

帆船

古希臘和古埃及人最先想到要在船上加帆，風力推着帆船前進，使船航行得更快。

蒸汽火車

蒸汽火車發明於19世紀，經過不繼改良，已能運載許多人和貨品。

輪子

約5,000年前，人類發現只要將輪子繫在運貨的箱子上，就能更容易移動重物。

內河船

內河船最先發明於古埃及，人們用蒲草來造船，蒲草是蘆葦的一種。

雙輪戰車

在古埃及，雙輪戰車上載有兩名士兵，他們一個負責駕駛戰車，一個負責射箭攻擊敵人；中國古代的戰士也懂得用雙輪戰車。

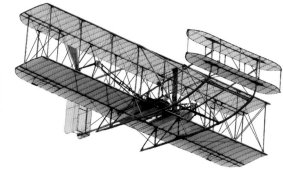

大小輪古董車

大小輪古董車發明於1871年，它的前輪很大，是腳踏車的雛型之一。

汽車

1894年，德國賓士工廠建造了第一輛由汽油引擎發動的汽車，這汽車的樣子像一輛巨大的三輪車！

萊特兄弟飛機

1903年，萊特兄弟飛機首次成功在美國飛行，這飛機在空中停留了12秒。

精彩的玩具

數千年以來，小孩子都在玩玩具。有些**早期的玩具**，例：皮球、積木或桌遊，似乎也沒多大改變。現在讓我們一起來**玩耍**吧！

骨牌

骨牌遊戲源自中國，玩法是配對骨牌上的數字，世界各地都有人玩這個遊戲。

泥膠

泥膠最初是用來清潔牆紙的！如今成了一個創造不同模型的有趣遊戲。

泰迪熊

約100年前，這些可愛的毛公仔玩具在德國創造出來。

世界上最古老的玩具是土耳其一個嬰兒搖鈴玩具，這個玩具已經有4,000年歷史了！

英國十字戲

英國十字戲由6世紀創建的印度十字戲演變而來，這個遊戲的目的就是要讓所有棋子都在棋盤上走一圈。

跳繩

跳繩的歷史源遠流長，中國自古已有跳繩遊戲，而古埃及的運動健兒也有跳繩比賽。

埃及球

這個古老的玩具是由布和植物所製成的，球內有些細小的石頭，拋球時會發出噹啷的聲響。

彈簧玩具

這圈彈簧可以自己走下樓梯。它的發明其實源自一個錯誤，因為最初是想把它用在海裏的。

積木

積木這種玩具流行了好幾百年，用積木堆砌高樓，其樂無窮！

搖搖

這個古老的旋轉玩具是中國創造的。學懂用搖搖造出各樣花式表演，能令朋友歎為觀止呢！

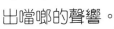

孔子 (Confucius)
孔子（公元前551-479年）是中國的偉大思想家，他認為不論是在家庭還是國家層面上，秩序和尊重都是很重要的。

馬丁·路德·金
(Martin Luther King, Jr.)
在1950至1960年代，馬丁·路德·金在美國推動黑人平權運動。

歷史偉人

我們現今的世界，有賴於歷史上許多偉人所作出的貢獻，其中包括**發明家**、**科學家**、**藝術家**、以及**作家**。如果是你，你會以哪種方式改變世界？

瑪麗·居禮
(Marie Curie)
居禮夫人是一位科學家，她致力研究放射治療，使癌症這種普遍疾病能獲得更佳的治療方法。

聖雄甘地
(Mahatma Gandhi)
甘地生於1869年，是位和平領袖，他主張和平示威，帶領印度獨立。

艾薩克·牛頓
(Isaac Newton)
牛頓是位英國科學家，他留意到蘋果從樹上掉下來之後，提出了地心吸力的理論。

愛達・勒芙蕾絲
(Ada Lovelace)

愛達・勒芙蕾絲是一位英國數學家，也是第一位電腦程式設計師，她為早期的電腦編寫程式。

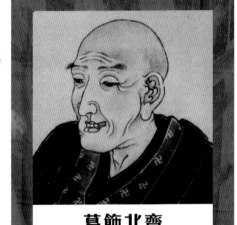

葛飾北齋
(Katsushika Hokusai)

葛飾北齋是一位日本藝術家，他最著名的作品是《神奈川沖浪裏》，是一幅木刻版畫。

愛蜜莉亞・艾爾哈特
(Amelia Earhart)

愛蜜莉亞・艾爾哈特是一位美國飛機師，她在1932年成為首位獨自飛越大西洋的女機師。

凱薩琳・強森
(Katherine Johnson)

凱薩琳・強森是位數學家，在美國太空總署工作，憑着她精密的計算，使許多太空任務得以順利進行。

威廉・莎士比亞
(William Shakespeare)

莎士比亞生於1564年，是世界最著名的劇作家之一，他的劇作至今仍然在世界各地上演，包括《羅密歐與茱麗葉》和《哈姆雷特》。

科學、數學和科技

物質狀態

世界上的物質可以分為**三種狀態：固體、液體**和**氣體**。所有物質都是由細小的**粒子**所組成，這些粒子非常小，是肉眼看不見的。

固體

固體是一些能保持固有形狀的東西，它們通常是堅硬的，例：金屬汽車。固體的粒子緊密地排列在一起，形狀固定。

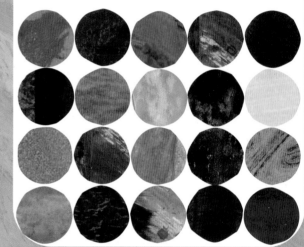

機械人

西蘭花

汽車

液體

液體可以改變形狀，配合它們身處的容器，例：水和油漆。液體是流動的，而且可以倒出來。液體的粒子排列起來後，粒子之間還有點空間，而且可以移動。

蜜糖

水

油漆

氣體

大部分的氣體都是透明的，例：空氣。氣體可以逼進一個小空間（例：一個氣球），也可以疏落地分布在大空間裏（例：一個房間）。氣體的粒子可以自由地走動，而且速度很快。

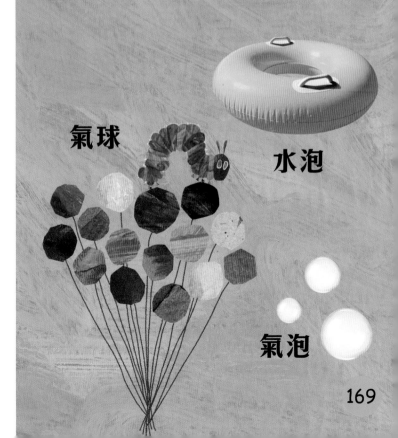

氣球

水泡

氣泡

材料

　　材料很奇妙啊！世界上每一件東西都是由材料組成的。有些材料（例：布材）是**柔軟**而富有**彈性**的；有些材料（例：磚頭）則是**堅硬**而**穩固**的。

布材

柔軟的布材容易剪裁和縫紉。布材是由許多線組成，線的材料可以來自植物、動物或塑膠。

玻璃

玻璃是種堅固的透明材料，用途廣泛，玻璃可以用來造窗、眼鏡和水杯。

你可以清楚看見水杯裏的橙汁。

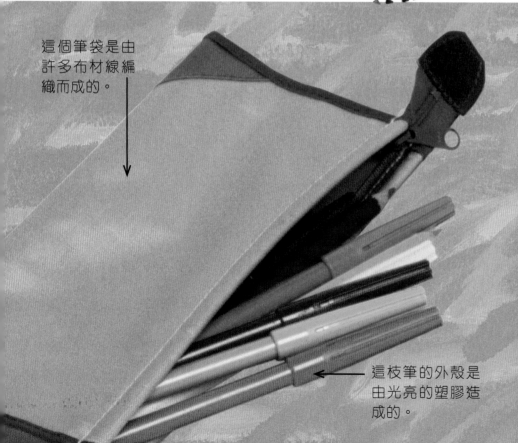

這個筆袋是由許多布材線編織而成的。

這枝筆的外殼是由光亮的塑膠造成的。

塑膠

塑膠可以是堅硬的，也可以是柔軟的。塑膠很容易塑型，也不容易破爛。塑膠不是從大自然來的，而是化學製品。

特性

每種材料都有不同的特性，它們有不同的外表、觸感和特質，例：海綿的吸收力強，所以能夠吸水。你能分辨以下這些材料的特性嗎？

吸收力強

堅硬

透明

柔軟

金屬

世界上有很多種不同的金屬，大部分的金屬都很堅硬，而且可以錘成不同形狀，而不破爛。有些金屬有磁力，能夠與磁石相吸。

大部分的萬字夾都是由一種稱為鋼的金屬造成的。

木材

這種堅硬的材料來自樹木，木材不容易拆斷，所以可以造成很多物品，例：傢俬、樂器和鉛筆。

紙張很薄、很輕，也容易在其上寫字。

鉛筆的外殼是木材。

紙張

將細小的木塊混進水裏，就可以造成紙張。有些紙比另一些堅硬，例：咭紙比廁紙堅硬。

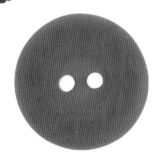

顏色

世界沒有色彩的話，會怎樣？肯定相當沉悶吧。我們**四周都充滿色彩**，有不同顏色的衣服、玩具，甚至大自然和藝術品裏也有很多不同的色彩。

黃色
陽光、檸檬和向日葵都是黃色的。你還想到有哪些黃色的東西？

橙色
橙是橙色的。橙色很鮮艷奪目，金魚、秋葉和南瓜也是橙色的。

紅色
說及紅色，我們會想到甘甜的士多啤梨和爽脆可口的蘋果。紅色也是一種警告的顏色，看見紅色的交通燈要記得停下腳步呀。

綠色

大自然裏有很多綠色的東西，例：草、葉子、蔬菜、青蛙、蜥蜴和雀鳥。

藍色

想起藍色，你會想起什麼？可能是大海、藍天，或者是美麗的藍色蝴蝶呢！

紫色

將紅色和藍色混合起來，就會變成紫色。在大自然中，你能看見漂亮的紫色花朵和美味的紫色葡萄。

混色

紅色、黃色和藍色稱為原色；綠色、橙色和紫色稱為二次色。而其他所有顏色都可以由這些顏色組合而成，你最喜歡什麼顏色？

紅色	+	黃色	=	橙色
藍色	+	黃色	=	綠色
藍色	+	紅色	=	紫色

173

光

光是一種我們看得見的**能量**。地球上所有活物都需要光，光使我們溫暖、令植物生長，也讓我們**看見東西**。

光線分色

我們看得見的光，稱為白光，這白光是由七種顏色的光組成的。當白光透射進三棱鏡，就會分開成多種顏色。

陽光光線 ⟶
一束光線射進三棱鏡。

光線折射
當光線穿過三棱鏡，會減慢速度並且產生折射。

彩虹的顏色
白光分成不同的顏色，你能看到多少種顏色？

三棱鏡 ⟶

光速相比其他東西的移動速度都要快。

彩虹的由來

當陽光穿過雨點，就會形成彩虹。雨點就像細小的三棱鏡，將光折射成不同顏色。

沒有光，我們什麼也看不見。

影子

當有物件阻擋陽光，就會產生影子。影子的形狀和大小會因着太陽在天空中的位置不同而有所轉變。

太陽高掛

正午的時候，太陽高掛，小貓的影子很短。

太陽在後

當太陽在小貓的背後，小貓的影子就在前面。

太陽斜照

在早上或黃昏，太陽的位置較低，因此小貓的影子很長。

聲音的傳遞是透過看不見的聲波在空氣中壓縮和延伸而發生的。

聲音

　　鐘響的**鈴聲**、小狗的**吠聲**、汽車的**咈咈聲**——聲音無處不在。聲音由震動開始，這些**震動**穿過空氣，傳到你的耳中，這樣，你便聽得見聲音。

音量

你能想到哪些聲音很小、哪些很大？聲量較大的聲音，聲波亦較大，聲音大小的量度單位是分貝，分貝越高，聲音越大。

176

吼吼吼！

安靜的聲音

落葉

我們幾乎聽不見落葉的聲音！落葉聲只有10分貝。

很大聲

咆吼的老虎

如果站在咆吼的老虎旁邊，牠的咆吼聲音錄得高達114分貝！這比割草機的聲音要大25倍呢。

非常大聲！

火箭發射

發射火箭的時候，聲量可高達180分貝。火箭的構造要非常堅固，才能抵受得住聲波的震動。

好玩的力學

　　當你從滑梯**一溜而下**，或在蹺蹺板**上上落落**，神奇的力學已經在發揮作用。力學可以分為**推力**和**拉力**，這兩種力量會影響物件移動的方向。

向前推
越用力推，鞦韆盪得越高！

向上推
這些孩子用腳發力，將自己推離地面。

摩擦力

摩擦力會減慢這孩子溜滑梯的速度。凹凸不平的表面摩擦力較大，滑溜的表面摩擦力較小。

萬有引力

萬有引力是看不見的，是一種會將萬物拉向地面的力量。

平衡的力量

往兩個相反的方向使力，如果力度相同，會令兩邊的力平衡，當兩邊的力互相抵消，繩子就不會向任何一邊移動。

拉力

小狗和孩子都在拉着狗繩，但他們各自往不同的方向拉。

3、2、1……跑！

每樣東西都有自己**移動**的**速度**，移動得**越快**，速度就越高。說起速度最高的東西，你想到什麼？

樹熊可以跑得很快，但牠們比較喜歡待在樹上休息！

蝸牛走得很慢，牠們用一塊黏糊糊的長肌肉推着自己前進。

運動員
短跑選手會參與跑步訓練，學習如何跑得更快；他們很努力鍛鍊肌肉，使自己跑得更快。

滑板上的輪子表面滑溜，能提升前進的速度。

蟑螂
這些小昆蟲東竄西躲，走動得很快。

馬的四條腿結實有力，所以牠們狂奔飛馳時的速度很快。

加速
當某樣東西移動得越來越快，就是在加速。就像過山車在向下俯衝的時候，速度會提升，因而達至加速的效果。

跑車
跑車是為了提升駕駛速度而製造的，它有一個強勁的引擎，加上窄長的車身，有助提升行駛速度。

獵豹
獵豹是世界上跑得最快的陸上動物，牠的速度最高可達每小時113公里。

旗魚
旗魚流線形的身形使牠在水中能輕易快速地游來游去，旗魚也是游得最快的魚。

隼在空中飛翔的速度可高達每小時320公里，是飛得最快的獵食性雀鳥。

電路

電力需要透過電路，才能到達用電的物品，例：電燈泡。電力在環形的電路中流動，流到電燈泡那裏，電燈泡就能發亮。

當打開燈制，電燈泡就會發亮。

風力發電

其中一種發電方法就是使用風力發電機，風力發電機上有巨大的風車葉片，在有風的時候，風車葉片會轉動，這就能驅動發電機產生電力。

電力

你知道是什麼**驅動**多士爐運作，使它能烘出美味的小吃嗎？答案是**能源**，而這種能源稱為電力。我們可以用不同方法來製造或**產生**電力，電力是我們日常生活中很重要的一部分。

使用電器的時候，要額外留神。

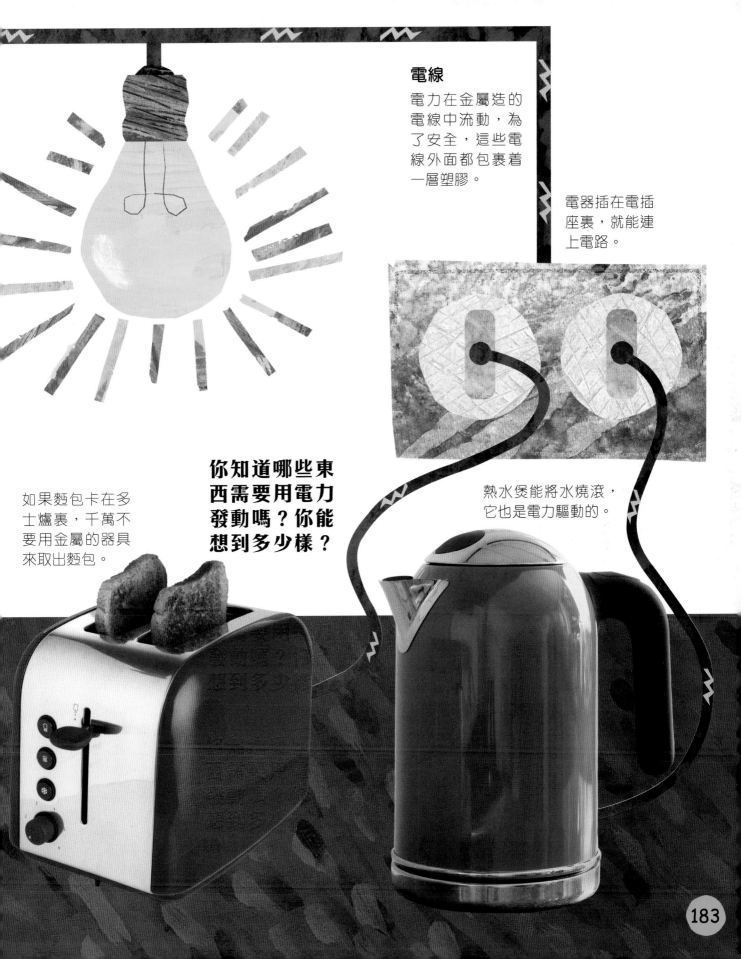

電線

電力在金屬造的電線中流動，為了安全，這些電線外面都包裹着一層塑膠。

電器插在電插座裏，就能連上電路。

熱水煲能將水燒滾，它也是電力驅動的。

你知道哪些東西需要用電力發動嗎？你能想到多少樣？

如果麵包卡在多士爐裏，千萬不要用金屬的器具來取出麵包。

磁性物體

磁性物體包括鎳、鈷，以及含鐵的金屬，例如鋼。你家裏有以下這些東西嗎？

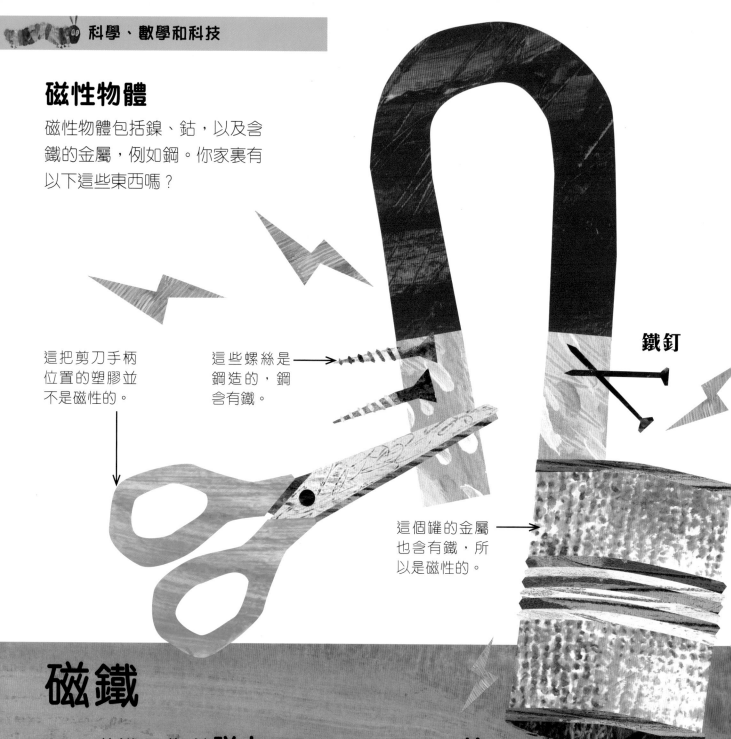

鐵釘

這把剪刀手柄位置的塑膠並不是磁性的。

這些螺絲是鋼造的，鋼含有鐵。

這個罐的金屬也含有鐵，所以是磁性的。

磁鐵

磁鐵是靠着**磁力**來對其他物品施加**拉力**或**推力**，磁鐵只會對**磁性**物體產生作用，磁性物體通常都是含鐵的金屬。

非磁性物體

沒有含鐵或任何其他磁性物質的東西，就是非磁性物體，例：金和玻璃是非磁性的，亦即是說，它們對磁鐵沒有反應。你認為衣服是磁性的嗎？

花朵

玻璃花瓶

這個蘋果不是鐵造的，所以不受磁鐵影響。

這本書是紙造的，紙也不是磁性物體。

蠟筆

磁極

在所有磁鐵裏，兩極的磁力是最強的，這兩極稱為磁極。在直條形的磁鐵上，有一邊是北極，有一邊是南極，現在看看這兩極之間是怎樣互動的！

同極相斥：相同的一極會彼此推開。

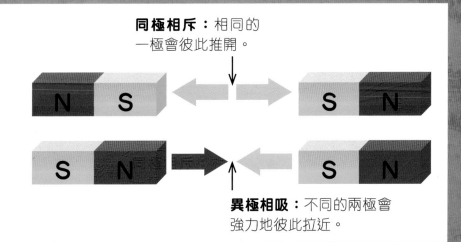

異極相吸：不同的兩極會強力地彼此拉近。

位置

　　「前後、左右……」這些詞語都是形容**物件位置**的。看看這些圖片，哪一張是表達着上下的？哪一張是遠近的？

右

左

上

下

後

前

內

外

中間

旁邊

遠

近

一起

聰明的電腦

電腦是很棒的發明,它們按照簡單的**指令**或**編碼**運作。讓我們了解一下電腦的運作吧!

跟從指令行事

編碼的意思就是告訴電腦要做什麼。編碼就是寫下指令,讓電腦按照這些指令行事。編碼其實跟寫下食譜或給別人指引方向有點相似。

向前爬

轉右

轉左

為毛毛蟲編碼!

你可以用左邊這些指示,帶領毛毛蟲找到蘋果嗎?謹記要盡量避開躲藏在迷宮裏的其他動物啊!

開始

向前爬

烏鴉

甲蟲

蜘蛛

轉右

這裏需要用上哪一個指令?

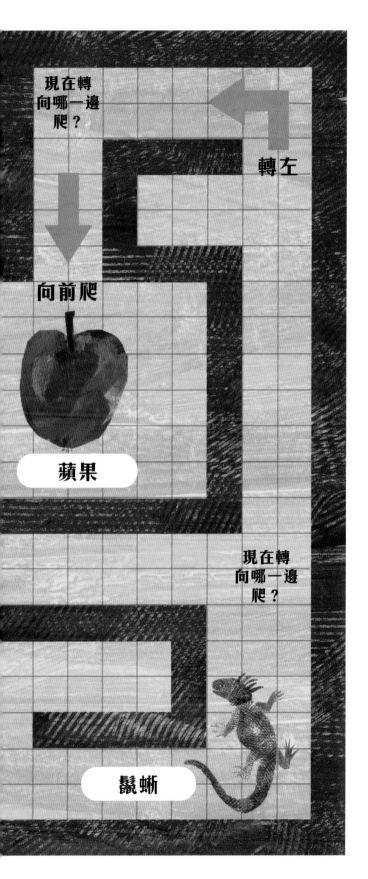

現在轉向哪一邊爬？

轉左

向前爬

蘋果

現在轉向哪一邊爬？

鬣蜥

電腦

電腦是儲存資訊和執行任務的機器。隨着科技進步，電腦一直在改變，現時的電腦都非常先進。有些電腦很大，但有些電腦小得可以一手掌握！

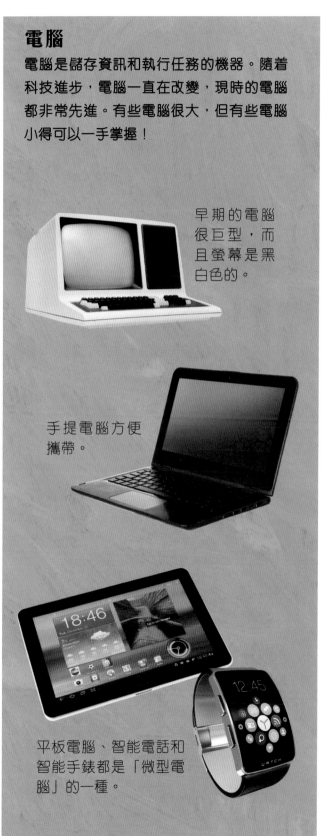

早期的電腦很巨型，而且螢幕是黑白色的。

手提電腦方便攜帶。

平板電腦、智能電話和智能手錶都是「微型電腦」的一種。

數字

數字能夠運用在很多不同的方面。我們可以透過數字來**報時**，量度物件的**大小**和**距離**，也可以致電給別人。

隨處可見的數字

以下這些物品無處不在，它們都印有數字，可見數字是我們日常生活中不可或缺的。從最常見的加減數、到量度食物的重量、繼而到道路上的車速限制牌等都跟數字有關。

智能電話

時鐘

簡尺

當數字比零還要小，則稱為負數，數字前面會有一個減號。

「零」這個數字代表什麼都沒有，就像你吃光了碟子上的食物那樣！

-1　0　1　2　3　4

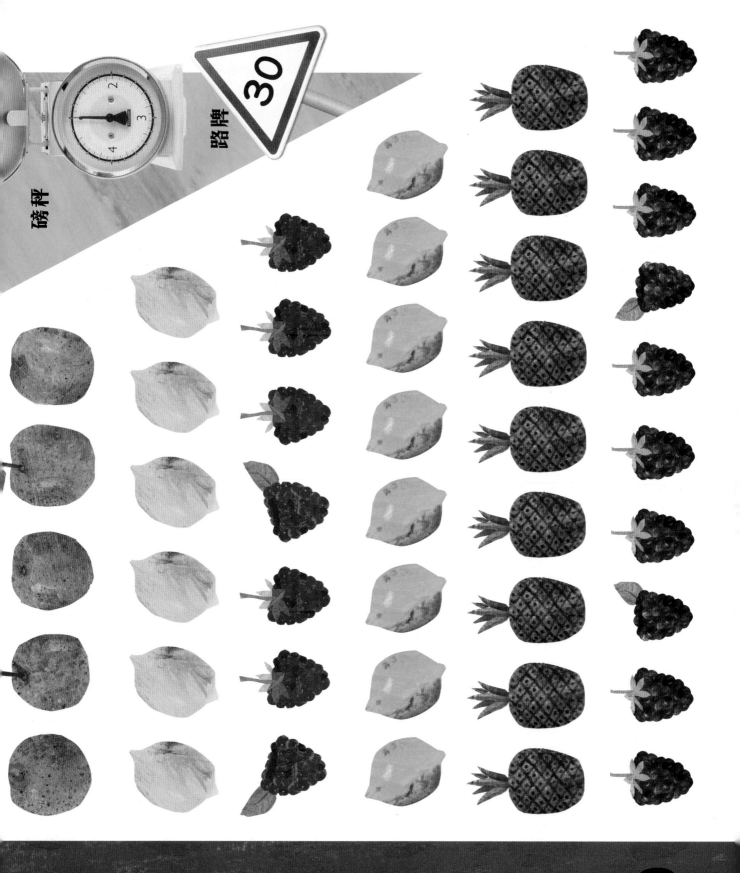

磅秤

路牌

30

5

6

7

8

9

10

我的生活規律

大部分時候，我們每天都會按照既定的次序做事情，首先我們會起牀，然後吃早餐，之後上學，這就是我們的生活規律，良好的**生活規律**有助我們**培養良好的生活習慣**。

睡覺

在晚上，我們大部分時候都在酣睡當中。

晚上

準備入睡

噓！現在已經夜深了，是時候睡覺了。你會在睡前看故事書嗎？

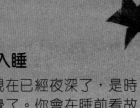

黃昏

洗澡

洗澡後，能舒舒服服、乾乾淨淨的準備入睡。有些人喜歡在洗澡時把玩洗澡玩具，你呢？

吃晚飯

在傍晚時吃晚飯，真美味啊！

起牀

你日常什麼時候起牀？通常是在破曉之後，太陽升起來之時。你下牀後，就是時候換衣服了！

吃早餐

你起牀更衣後，就是吃早餐的時候！每天吃早餐是很重要的啊，這能讓你每天都有一個好開始。

早上

上學去

在平日的早上，小孩都會上學去。上學的規律大都是上課學習，然後小息玩耍，接着再上課學習。

下午

吃午餐

我們通常在中午吃午餐。有些同學會帶飯盒上學，有些則吃學校預備的午餐。午餐後，又會再上課！

回家

下午稍後的時段，就是回家的時候了。你平常放學，是走路、踏滑板車、踏腳踏車、還是坐校巴回家？

長針指向分鐘。

短針指向小時。

這些數字表示每半天有12個小時。

這些線條所區分的是分鐘。

時間

我們可以按着時間來**管理生活**。時間讓我們知道早上什麼時候起牀,也能知道自己的年齡。我們用**秒**、**分鐘**、**小時**、**日**和**年**來量度時間。

分鐘和小時

每天劃分為24小時，每小時有60分鐘，刷牙大約需時2分鐘。

在農場或鄉郊地方，公雞啼叫的時候，大家就知道是早上了！

星期、月和年

相對長的時間，又會劃分為星期、月、年、甚至是更長的時段！千禧年就是1000年。

十二月

一星期有七天，你知道這七天的名字是什麼嗎？

星期一	星期二	星期三	星期四	星期五	星期六	星期日

每個月大約有4個星期。

每年有12個月。

當你用尺量度身高時，虛線指着的數字就是你的身高了。

高度

量度物件有多高，就是量度它的「高度」。不論是很高的山，還是微小的生物，我們也可以量度其高度，表示高度的單位是米和厘米，或呎和吋。

你想到有什麼東西比你還要高嗎？

重量

我們將東西放在磅秤上，就能知道它有多重，表示重量的單位是公斤或磅。在煮食和烘焙的時候，放入適當重量的材料是很重要的。

從磅秤上的指針指着的數字，我們得知這些檸檬和青檸有多重。

量度

　　量度物件的高度、重量等，讓我們更**了解**這件東西的特性，也方便我們**比較**它和其他物件的不同。你懂得量度物件嗎？

小

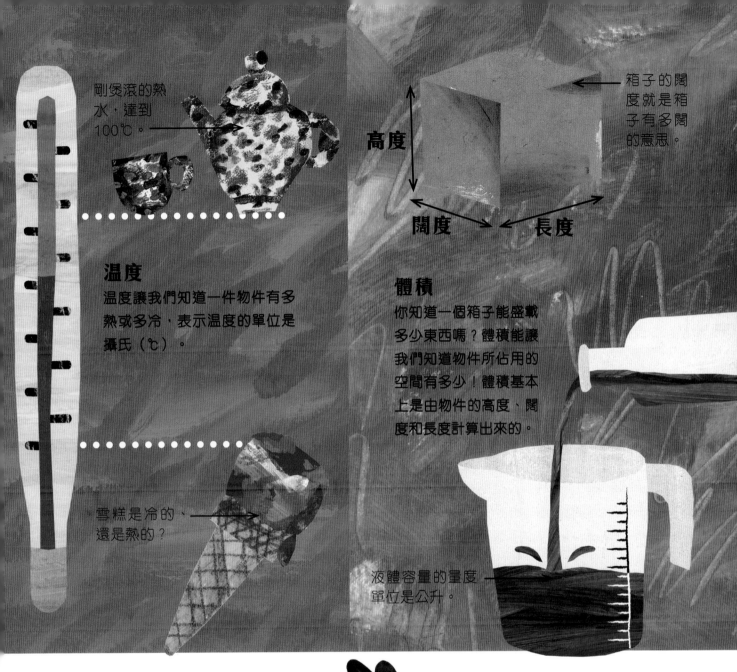

剛煲滾的熱
水，達到
100℃。

溫度

溫度讓我們知道一件物件有多
熱或多冷，表示溫度的單位是
攝氏（℃）。

雪糕是冷的、
還是熱的？

高度

閣度   長度

箱子的閣
度就是箱
子有多閣
的意思。

體積

你知道一個箱子能盛載
多少東西嗎？體積能讓
我們知道物件所佔用的
空間有多少！體積基本
上是由物件的高度、閣
度和長度計算出來的。

液體容量的量度
單位是公升。

中   大

大小

當我們比較不同物件的大小
時，可以運用大、中、小等
字眼來說明。你能想到最大
的東西是什麼？

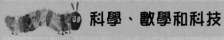

圖形

有些圖形是**圓**的，有些是**直**的；
有些圖形是**扁**的，有些則是**厚**的。

平面圖形

平面圖形是平面的，只有長度和高度，沒有厚度。世界上有許多平面圖形，你知道它們的名稱嗎？

圓形
圓形只有1條曲的邊。

正方形
正方形有4條等邊。

三角形
所有三角形都有3條直的邊。

五邊形
五邊形有5條邊。

六邊形
六邊形有6條邊。

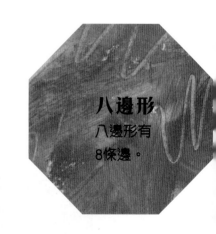

八邊形
八邊形有8條邊。

立體圖形

立體圖形是有厚度的，有長、闊、高三個維度。任何不是平面的圖形，就是立體圖形。日常生活中，我們接觸到許多立體圖形。

立方體
立方體有6個面和8個頂點。

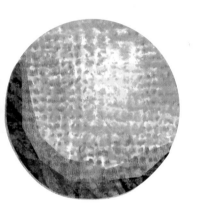

球體
球體只有1個面。

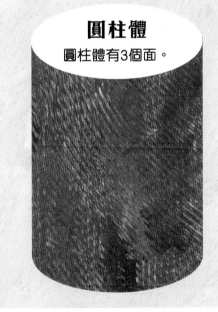

圓柱體
圓柱體有3個面。

圓錐體
圓錐體有2個面。

四角錐體
四角錐體有5個面。

世界上的圖形

你身邊的所有東西都是由許多不同的圖形組成的，連這本你正在讀的書也是！以下這些東西都各有不同圖形。

這塊蛋糕是個立方體，其上還有一個球體。

蜂巢由許多六邊形組成。

這個雪糕由一個圓錐體和其上的球體組成。

199

對稱

對稱有**兩種**，就是**反射對稱**和**旋轉對稱**，世界上很多地方都能見到對稱的影蹤。

反射對稱

反射對稱是指一個圖形可沿一條直線分割為兩個部分，所得的這兩個部分是可以對摺重疊的；所沿的直線稱為對稱軸，反射對稱圖形可有一條或多條對稱軸。

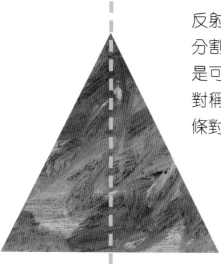

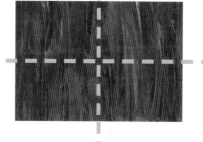

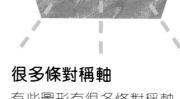

一條對稱軸

這個三角形有1條對稱軸，就在正中心，左右的形狀是一模一樣的。

兩條對稱軸

長方形有2條對稱軸，在中間打直或打橫切割，都能令圖形分為兩等份。

很多條對稱軸

有些圖形有很多條對稱軸，這個五邊形有5條對稱軸。

旋轉對稱

旋轉對稱是指將一個圖形繞着某固定點旋轉一周，而原來的圖形在旋轉過程中重疊多過一次；而每一次重疊，稱為一個折式。在大自然中，有很多旋轉對稱的例子。

這棵植物有很多折式。

這朵花在旋轉過程中也會重疊很多次。

這隻蝴蝶也可以分成兩個相同的等份。

1條對稱軸

這些圖案對稱嗎？

不！有很多圖案都不是對稱的，這些圖案稱為非對稱圖形。

這隻海星是5折式的。

這塊三葉草是3折式的。

太空

宇宙

美麗的地球是我們的家，而地球和地球以外的萬事萬物組成了宇宙。宇宙裏有**恆星**、**行星**、**衛星**，還有許多空洞、黑漆漆的空間。

我們的家
暫時，我們只知道地球上有生物，地球上大約有80億人住在世界各地。

地球
地球看上去大部分是藍色的，因為海洋很多，而綠色的部分是陸地。

太陽系
太陽系是宇宙裏的一個小部分，裏面有太陽和八個圍繞太陽運行的行星。

大爆炸
科學家相信宇宙的起源，是源於1,380億年前的一次大爆炸，宇宙自那時起，一直在膨脹。

宇宙
宇宙就是太空裏的一切。在銀河星系以外，還有數十億的其他星系。

銀河星系
太陽系是銀河星系的一部分，銀河星系看上去像一個巨大的螺旋圖案，由數百萬顆恆星和行星組成。

太陽系

太陽是太陽系的**中心**，**八大行星**和其他較小的物體（例：月亮、碎石和冰）都會圍繞着太陽轉動。

金星
金星的表面有很多雲，是太陽系裏溫度最高的行星。

火星
火星又稱為「紅色星球」，它是地球的一半大小。

水星
水星是太陽系裏最小的行星，而且水星與太陽最接近。

地球
地球是我們的家，也是目前唯一已知道有生物存在的星球。

太陽
太陽是最接近我們的恆星，它為地球提供我們所需的溫暖和光明。

土星
土星有巨大而扁平的土星環，由冰和石頭組成。

海王星
海王星很寒冷，跟太陽的距離最遠。

天王星
天王星是最寒冷的行星，而且是唯一一個向側面轉動的星球。

木星
木星是最大的行星，主要由氣體形成。

日與夜

每24小時，天空由**光轉暗**，由暗又轉光；在日與夜更替之時，有些動物**會醒來**，有些則**休息**。現在看看日與夜發生的事情吧！

日間

在早上，太陽升起，新的一天就開始了。太陽為大地帶來光和熱，像我們一樣在日間活動的動物就會甦醒過來，雀鳥也會邊唱歌邊飛往自己的鳥巢。

我們只會看見月亮的其中一面，背着地球的一面稱為「月亮的暗面」。

夜間

太陽下山後，夜幕低垂，在黑漆漆的夜間可以看見月亮和閃爍的星星。大部分的動物都準備休息，但有些動物則會在夜晚起來覓食。

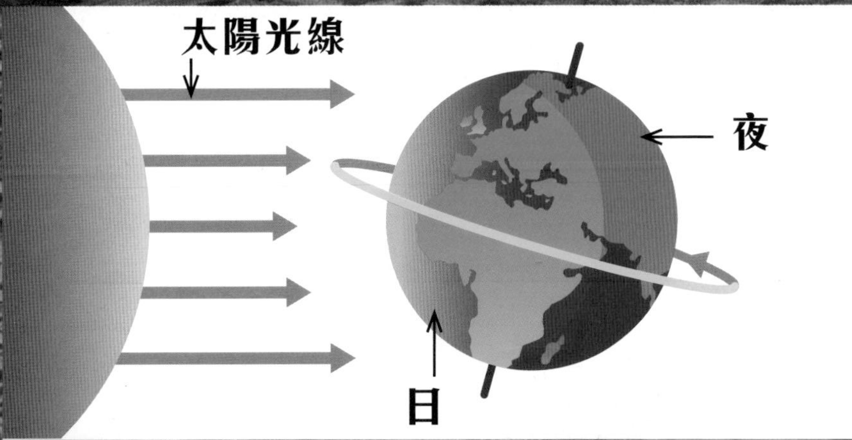

太陽光線

夜

日

為什麼有日出和日落？

每一天，地球都會自轉一次。面向着太陽的一面受到陽光照射，而另一面則在黑暗中，這就是我們的日與夜了。

新月

這個時期的月亮表面是暗的。

眉月

月亮沿着地球移出了少許，此時，我們可以看見陽光照射着月亮的邊緣。

上弦月

月亮走了圍繞地球一周的四分一路程。

盈凸月

月亮一晚比一晚大，逐漸「滿盈」。

月亮的魔法

在天朗無雲的晚上，望向夜空，你會看見距離地球最近的鄰居，那就是**月亮**。你有沒有想過，為什麼月亮會**改變形狀**？月亮每個月會圍繞地球運行一周，隨着日子的過去，月亮給太陽光**照射**到的部分也有所不同，這些給太陽照射到的部分能反射太陽光，我們在地球上就只看到月亮反射太陽光的部分。

滿月
月亮成了一個光亮的滿圓，高掛天上！

虧凸月
月亮光亮的部分減少，稱為「月虧」。

下弦月
月亮已走了圍繞地球一周的四分三路程了。

殘月
我們只能看到月亮的一條銀邊，很快月亮便會回復全黑。

月亮距離我們大約400,000公里遠，如果要步行到月亮，大概需要九年半的時間呢！

太空石頭

在太陽系裏,並不只有星球和太陽,那裏還有許多細小的懸浮碎石,這些碎石由**金屬**、**冰**和**石頭**組成。

小行星

小行星是一些圍繞太陽運行的石頭,太陽系裏有成千上萬這樣的小行星,各有不同的形狀和大小。

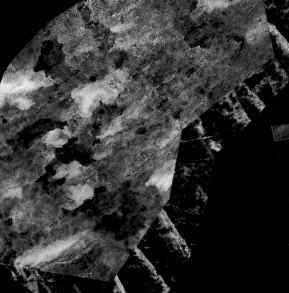

流星體

當小行星互相撞擊,它們便成為更細小、易碎的石頭,這些石頭稱為流星體。

太空垃圾

人類展開太空探索後,便開始在太空遺留了垃圾,例:舊的人造衞星和火箭的部件等。科學家正計劃着清理這些垃圾,以免這些垃圾危害到新太空船的安全。

流星

若太空裏的石頭跟地球走得很近，就會燃燒和發光，這些石頭稱為流星。

隕石

若然太空裏的石頭撞向地球，就會在地上撞出一個洞，稱為隕石坑；而這塊石頭則稱為隕石。

衝擊力！

大約50,000年前，一粒隕石撞擊美國，形成了一個隕石坑，這個坑的闊度有十個足球場那麼大呢！

美國一個巨大的隕石坑。

213

星座

夜空就像一幅巨大的拼圖。數千年以來，人們都望着夜空，研究着星星所組成的不同形狀，稱之為星座。

巨蟹座的樣子就像一隻巨大的蟹。

若你將金牛座的星星連起來，就會看到它們像一隻進攻的牛。

眺望夜空

如果你想好好觀察夜空，就需要有適合的工具。透過單筒望遠鏡或雙筒望遠鏡察看星星和星體，就能望得更清楚了。

夜空

你試過望着夜空的時候，看到許多微小而**閃爍**的點點嗎？**星星**其實是一些距離我們很遠，一團團很巨大而燃燒着的熱氣體。

雙魚座的星羣就像兩條魚的魚尾指向同一顆星。

第一位觀星家

研究太空的科學家稱為天文學家。400多年前,第一位運用單筒望遠鏡的天文學家是一位意大利人,名叫伽利略(Galileo Galilei)。

放眼太空

球面無線電望遠鏡(中國天眼)

在中國,這個望遠鏡能接收來自太空的信號,透過它,我們或許能知道其他星球有沒有生物存在。

反射望遠鏡

這個大型的望遠鏡座落在西班牙的一座山上,它運用鏡面來幫助科學家更清楚地觀察星星。

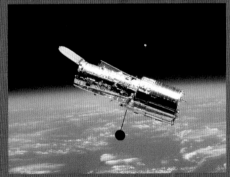

太空望遠鏡

哈勃太空望遠鏡每天圍繞地球運行15次,它配備特製的攝影鏡頭,能拍攝精彩的太空照片。

215

太空漫遊

動力十足的火箭能飛到太空裏，**探索**月亮和其他星球，有些火箭甚至可以載着**太空人**呢！

第一位上太空的女太空人

俄羅斯宇航員范倫蒂娜‧泰勒斯可娃（Valentina Tereshkova）是第一位上太空的女性，她在1963年6月16日進入太空。

1963

史普尼克1號

1957年，史普尼克1號是第一顆進入行星軌道的人造衞星。

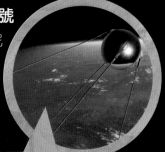

1957

1961

1942

德國V-2火箭

1942年10月3日，V-2彈道飛彈是第一枝進入太空的火箭。

第一位上太空的人

俄羅斯宇航員尤里‧加加林（Yuri Gagarin）是第一位上太空的人。

俄羅斯的太空探索者稱為宇航員。

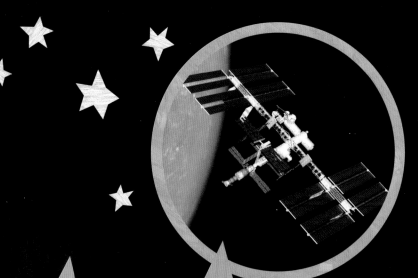

國際太空站

國際太空站於1998年開始建設，這裏是太空人在太空工作時的居所和工作地方。

1969

1998

2012

2019

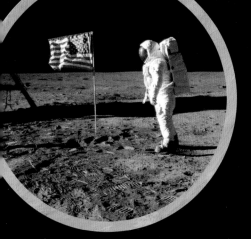

人類首次登陸月球

1969年，美國太空人尼爾·岩士唐（Neil Armstrong）和巴斯·艾德林（Buzz Aldrin）是最先登陸月球的人。

好奇號探索火星

2012年，好奇號是火星上最大型的機械探測車。

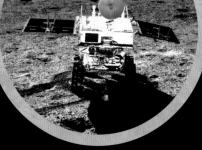

嫦娥四號

2019年1月2日，中國的嫦娥四號登月探測器著陸於月球背面。2021年，中國的祝融號火星車亦登陸了火星。

太空競賽

1960年代，蘇聯和美國一直在競爭，想成為第一個派人登陸月球的國家。1969年，美國首先成功派太空人登陸月球。

這枚郵票是為慶祝蘇聯的兩艘太空船順利升空而發行的。

人類首次登陸月球的事蹟也紀錄在這枚美國郵票上。

詞彙

X光
一個特別影像，能顯示你身體內的東西。

力
透過推或拉影響物件移動的方式。

大草原
一個很大的平地草原，通常見於熱帶國家。

山脈
連綿不斷的山。

化石
古代動物或植物的殘骸或痕跡。

火山
一個充滿岩漿的大山，有時會爆發。

加速
速度越來越快。

北極
地球的最北端。

史前
在有歷史紀錄前的時段。

平面圖形
這種圖形是平面的，只有長度和高度。

立體圖形
有厚度的圖形，有長、闊、高三個維度。

光合作用
植物製造食物的方法。

地震
地殼板塊的移動，會令地面震動。

肌肉
負責控制身體的動作。

行星
在太空中圍繞恆星轉動的星球。

沙漠
一個幾乎不下雨的地方。

夜間生物
一些在日間睡覺、晚上醒來的動物。

季節
每年的某個氣候，例：夏天或冬天。

保護色
動物的顏色或花紋讓牠們能融入附近環境，使牠們容易隱藏起來。

南極
地球的最南端。

指南針
能指引方向，幫助人找到目的地。

珊瑚礁
珊瑚是一種細小的海洋生物，牠們疊起來就會形成珊瑚礁，珊瑚礁看上去像石頭，通常都會生長在海岸附近。

能量
一種能源，例：光能和電能。

針葉樹
一種全年都常綠的樹。

望遠鏡
一個察看遠事物的工具，例：星球，會讓遠物看起來更近。

粒子
固體、液體或氣體的細小部分。

陸洲
一大片的陸地，例：亞洲或非洲。

感官
令你感知世界的事，例：嗅覺、味覺和視覺。

節慶
慶典或特別活動，通常會跳舞，也會有音樂。

萬有引力
一種將物件拉向彼此的力量。

落葉樹
秋天時會落葉的樹。

隕石坑
由太空石頭撞擊地面所造成的大洞。

電力
一種能量，能為電器提供能源，例：多士爐。

電路
由電線組成的環形路徑，讓電流可以通過。

對稱
圖形的兩半是一模一樣的。

磁力
磁鐵用來推或拉其他物件的力量。

摩擦力
一種將移動中的物件減速的力量。

熱帶
高雨量和氣溫熱的地區或氣候。

震動
前後的移動。

器官
負責特定工作的身體部分，例：肺部負責呼吸。

聲波
聲音在空氣中傳遞的方式。

獵物
會被其他動物獵食的動物。

獵食者
會獵食其他動物的動物。

藝術館
一個讓公眾欣賞藝術作品的地方。

礦物質
在岩石和泥土裏找到的物質。

索引

索引

鳴 謝

在艾瑞・卡爾（Eric Carle）的畫作世界裏成長的小孩，學習時滿載熱情，玩樂時喜歡天馬行空、探索世界時毫無畏懼！《好餓的毛毛蟲》和許多其他同系列的著作，全都彩色繽紛、極具創意，經得起時間的考驗，永垂不朽！深受家長、教師和圖書館長的青睞，得到不同國籍、不同時代的孩子的喜愛，滿足了孩子那求知若渴的心靈；時至今日，卡爾那畫風生動、創意無限的著作，已經出版了70多冊，當中不乏由他本人充當作者的著作，這些作品大部分都是風靡全球的暢銷書，總銷售量超過1.7億冊。本書《好餓的毛毛蟲——給孩子的第一本全百科》包含右面的內容重點：

DK would like to thank Romi Chakraborty, Kanika Kalra, Vijay Khandwal, Bhagyashree Nayak, Balwant Singh, and Dheeraj Singh for their design and DTP assistance; Aditya Katyal, Vagisha Pushp, and Sakshi Saluja for picture research help; Elle Ward for design help; Mark Clifton for additional illustrations; Marie Greenwood, Kieran Jones, Abi Luscombe, Manisha Majithia, and Seeta Parmar for editorial help; Caroline Hunt for proofreading; and Helen Peters for the index.

The publisher would like to thank the following for their kind permission to reproduce their photographs:

(Key: a-above; b-below/bottom; c-centre; f-far; l-left; r-right; t-top)

1 123RF.com: leonello calvetti (br). Dorling Kindersley: Natural History Museum, London (cb). Dreamstime.com: Mitgirl (cra). 8 Dreamstime.com: Günter Albers (bc/forest); Oksanaphoto (br). Getty Images / iStock: Peter Llewellyn (bc). 9 Dreamstime.com: Madrabothair (br); Dongli Zhang (bc/City); Alexander Ovchinnikov (bc). 10 123RF.com: imagesource (cra). 11 Getty Images: DigitalVision / Jose Luis Pelaez Inc (cla). 12 Alamy Stock Photo: Stephen R. Johnson (bl). Getty Images / iStock: E+ / eli_asenova (tr). Shutterstock.com: ToeFoTo (c). 13 Alamy Stock Photo: Design Pics / Radius Images (cr). Dreamstime.com: Kiankhoon (tc). 14 Dreamstime.com: Ajn (tr). Fotolia: Yahia Loukkal (cl). 15 Dreamstime.com: Bjorn Heller / Dr3amer (tr). 16 Dreamstime.com: Slavun (b). 17 Dreamstime.com: Dvilfruit (bl). NASA: JPL-Caltech (tr). 18-19 Dreamstime.com: Slawomir Kruz. 19 Dreamstime.com: David Burke (cla); Eugenesergeev (cb). 21 Dreamstime.com: Williammacgregor (bc). 22 Dreamstime.com: Scott Dumas (bc/Kimono). Getty Images / iStock: E+ / hadynyah (bc); Nikhil Patil (br). 23 Alamy Stock Photo: Ton Koene (br). Dreamstime.com: Kdshutterman

(cra); Moti Meiri (fcra); Toxitz (tr). Getty Images / iStock: E+ / hadynyah (bl); loonger (bc). 24 Alamy Stock Photo: Oleksiy Maksymenko Photography (clb); Sean Pavone (tc). Dreamstime.com: Jan Wachala (br). Shutterstock.com: Cenap Refik Ongan (cr). 25 Alamy Stock Photo: Ian Dagnall (crb). Dreamstime.com: Anekoho (tl); Sergii Sverdielov (cra); Resul Muslu (bl). Getty Images: Jasmin Merdan (cb). 26 123RF.com: Martin Damen (br). Dreamstime.com: Hanhanpeggy (cla); Gino Santa Maria (clb). 27 Dreamstime.com: Digikhmer (bl); Phive2015 (tc); J33p3l2 (cla); Tomert (br). 28 Dreamstime.com: Mreco99 (cra). 28-29 Shutterstock.com: bioraven (bc). 29 123RF.com: aimy27feb (bl). Dreamstime.com: Irina88w / © Successió Miró / ADAGP, Paris and DACS London 2021 (ca). 30 Dreamstime.com: Riccardo Lennart Niels Mayer (bl); Vtupinamba (cl); Ppy2010ha (c). 31 123RF.com: Baiba Opule (cra). Dreamstime.com: Gekaskr (tr); Robyn Mackenzie (clb). Getty Images / iStock: filipefrazao (bc); somethingway (tl). 32 Getty Images / iStock: XtockImages (br). 33 123RF.com: gresei (clb). Dreamstime.com: Ryan Pike (fbr); Yi Min Zhu (bc). Getty Images / iStock: bong hyunjung (br). 34 Dreamstime.com: Artranq (tc); Olga Besnard (c); Elena Chepik (cr). 35 Alamy Stock Photo: Newscom / BJ Warnick (ca). Dreamstime.com: Crackerclips (bl); Alina Shpak (cl); Pamela Uyttendaele (cb); Sergiy Nigeruk (bc); Magdalena Żurawska (br). Shutterstock.com: Top Photo Engineer (tl). 37 Alamy Stock Photo: Joerg Boethling (tr). 39 123RF.com: Kuznetsov Dmitry (cra); Rob Marmion (br). Dreamstime.com: Prasit Rodphan (ca). 40 123RF.com: utima (cla). Getty Images / iStock: SciePro (cr). 43 Dreamstime.com: Monkey Business Images (crb). 44 Getty Images / iStock: SciePro (br). 45 Dreamstime.com: Itsmejust (br). Shutterstock.com: Manny DaCunha (bl). 46 123RF.com: utima (cra). 47 Getty Images: Jill Fromer / Photodisc (cr). 48 Dreamstime.com: Shao-chun Wang (cb). Shutterstock.com: ShotPrime Studio (cr). 49 Alamy Stock Photo: Image Source / David Jakle (cr). Getty Images / iStock: E+ / Kemter (c); E+ / izusek (clb). 54 Alamy Stock Photo:

Stephen Frost (cb); KQS (crb). 55 Alamy Stock Photo: Oleksiy Maksymenko Photography (crb). Dreamstime.com: Brizmaker (clb); Witold Korczewski (tl). Getty Images: Nichola Evans / Photodisc (cb). 57 123RF.com: ferli (cla); pixelrobot (clb). Depositphotos Inc: zurijeta (b). Dreamstime.com: Chernetskaya (cra); Mitgirl (cl). 59 123RF.com: anmbph (tl). Dreamstime.com: Tom Wang (tr). 61 Dreamstime.com: Alexandra Karamysheva (tl). 62 Dreamstime.com: Vacclav (cl). Getty Images / iStock: gustavofrazao (cb). 63 Dreamstime.com: Denis Belitskiy (tl); Ivan Kmit / Ivankmit (cra); Hel080808 (cb). 64 Dreamstime.com: Elenatur (clb). 65 Alamy Stock Photo: Novarc Images / Dennis Schmelz / mauritius images GmbH (crb). Dreamstime.com: Caoerlei (tc). 66 Alamy Stock Photo: Nature Picture Library (tc). Getty Images: Michele Falzone (br). 67 Dreamstime.com: Adriel80 (crb); Diana Dunlap (bl). 68 123RF.com: sugarwarrior (bc). Dreamstime.com: Surangaw (ca). 69 Dreamstime.com: Vladimir Melnikov (tr); Tomas1111 (cr). 70 Dreamstime.com: Agap13 (cb); Ghm Meuffels / Gerardmeuffels (ca). 71 Dreamstime.com: Luis Leamus (tr). Getty Images / iStock: Byrdyak (crb). 72 Alamy Stock Photo: Kevin Schafer / Avalon.red (bl). 73 Alamy Stock Photo: Alain Grosclaude (cr). Dreamstime.com: Tolly81 (tr). 76 Dreamstime.com: Pablo Hidalgo (tc). 77 Alamy Stock Photo: Per-Andre Hoffmann / Image Professionals GmbH (cra). Dreamstime.com: (cr); Gagarych (ca); Ralf Lehmann (cb). Getty Images: Huoguangliang (crb). 80 Dreamstime.com: Paul Hampton (cr); Alexey Poprotskiy (ca). 81 Dreamstime.com: Soloway (c). 83 123RF.com: (crb). Dreamstime.com: Photosvit (cb). 84 123RF.com: Iurii Buriak (bc). Alamy Stock Photo: Ben Pipe (cr). 85 Alamy Stock Photo: Allgöwer Walter / Prisma by Dukas Presseagentur GmbH (bl); Image Professionals GmbH / Jörg Reuther (tl); Sébastien Lecocq (tr). Dreamstime.com: Beehler (bc). 86 Alamy Stock Photo: Jan Wlodarczyk (br). Dreamstime.com: Helen Hotson (bl). 87 Dorling Kindersley: Natural History Museum, London (cra, cr, cb); University of Pennsylvania Museum of Archaeology and Anthropology (tl); Oxford University Museum of Natural History (c, crb). Dreamstime.com: Nastya81 (cl).

223